OBAMA

LE ROMAN DE LA NOUVELLE AMÉRIQUE

AUDREY CLAIRE

OBAMA

LE ROMAN DE LA NOUVELLE AMÉRIQUE

éditions du
ROCHER

Collection « Le roman des lieux et destins magiques »
dirigée par Vladimir Fédorovski

ISBN : 978 2 268 06582 3

À ma grand-mère,
sans qui ce livre n'aurait pas été possible.

PRÉFACE

La nouvelle donne

Par Vladimir Fédorovski

Quel que soit le candidat remportant l'élection présidentielle de novembre 2008, dans le contexte de la crise économique et morale, l'Amérique entre à reculons dans une nouvelle ère.

Les traits de son nouveau visage sont encore flous, mais ils laissent entrevoir des facettes inédites de son mythe historique : cette terre, débarrassée des inégalités et des cruautés de son temps, hissant au plus haut le flambeau de la liberté humaine.

Pendant des années, cette image enflamma le cœur de nombreux immigrés. Pour eux, la statue de la Liberté n'était encore qu'une vision apparue dans la brume. Un espoir fou, ce rêve qui habite les candidats à l'immigration dès avant leur embarquement pour le voyage de la dernière chance. Ce sont ces douze millions d'étrangers qui, entre 1892 et 1954, ont fait la traversée depuis le Vieux Continent, pour échouer à Ellis Island, à quelques miles de ce Manhattan aux mille lumières, qui scintillait comme l'or; douze millions d'hommes, de femmes, d'enfants qui avaient quitté la misère des pays d'Europe de l'Est et du Sud, ou de plus loin encore, pour la terre promise. La terre où tout était possible sur un simple coup de dés ou, autre scénario, à force de travail, de volonté et de foi.

Mais ce New York, si proche qu'on aurait cru pouvoir toucher du doigt ses envoûtantes architectures gothiques, n'était encore qu'une scène en devenir. Il fallait d'abord s'en montrer digne. Convaincre qu'on n'était pas là pour recueillir ce que « l'Amérique pouvait donner », mais bien qu'on était prêt à « tout donner pour l'Amérique ».

L'épreuve commençait dès le mouillage du bateau dans l'avant-port de Manhattan West Side. Le premier tri s'effectuait à bord selon les critères les plus élémentaires : pour les passagers de première et deuxième classes, direction Manhattan Harbour; pour tous les autres, ceux des *steerages*, les « troisième classe », transit obligatoire par Ellis Island où les convoyaient les ferries, comme on transporte le bétail sur un champ de foire. Ellis Island, c'était la « Porte d'or » de l'Amérique. Ou son « île des larmes ». Dès le débarquement, un deuxième tri s'effectuait : juchée à l'étage supérieur, une poignée de médecins regardait le troupeau gravir les marches pour essayer de distinguer les bien-portants des vacillants. Qu'on courbe un peu trop la tête, qu'on trébuche de fatigue, que l'œil s'égare après des nuits sans sommeil, et c'en était fait ! En haut de l'escalier, une croix tracée à la craie sur le vêtement vous conduisait vers l'enfer tandis que son absence vous ouvrirait, peut-être, le chemin du paradis.

Il fallait encore en passer par l'interrogatoire que menaient les officiers de l'immigration, séance au bout de laquelle vous étiez soit l'heureux dépositaire du visa magique, soit mis à l'écart pour de plus amples expertises. Les causes de cette prolongation en zone de transit relevaient de nombreux critères : maladies ou malformations, origine douteuse, défaut d'argent ou délit de... faciès. Et là, tout était à recommencer pour convaincre ou renoncer à jamais. C'est ainsi qu'ils furent près de 2 %, soit environ 250 000, à prendre le bateau du retour avec, pour seul titre de gloire, celui d'avoir foulé sur quelques mètres un sol qui ne serait jamais qu'un rêve inaccessible.

Mais, au-delà de la richesse matérielle, l'Amérique était d'abord la solution aux problèmes rêvée par l'Ancien Monde. Terre promise d'inventeurs, grâce à Fulton, elle offrait le bateau à vapeur à un monde sceptique, elle apportait l'électricité, avec Edison, puis la première industrie aéronautique, le téléphone, l'industrie pétrolière, avec Rockefeller, l'organisation scientifique du travail à la chaîne, avec Ford, sans oublier l'énergie nucléaire, ou encore ses fabuleux ordinateurs.

Dès le début du XXe siècle, l'Amérique devint un centre scientifique mondial, orienté vers l'application pratique. Quand le fléau hitlérien s'abattit sur le Vieux Continent, le pays rassembla la fine fleur de la physique et des mathématiques modernes. Plus tard, ses fabuleuses réalisations économiques se répandront à une vitesse vertigineuse sur le reste de la planète, portant au pinacle le plan Marshall entre 1948 et 1952. Même dans les années quatre-vingt, l'Amérique semblait encore incarner une partie de son mythe, contribuant à l'accélération des échanges internationaux et stimulant, par ses importations, l'économie japonaise en crise ou encore la croissance chinoise postmaoïste. Dans le même temps, le gendarme américain revenait en force en Bosnie, au Kosovo ensuite, pour porter secours aux Européens indécis.

Puis, en quelques années seulement, avec George W. Bush, le message de l'Amérique fut de plus en plus contesté dans le monde. En effet, Washington semblait briser l'entente quasi universelle, pratiquant le gaspillage irresponsable des ressources naturelles, bouleversant l'écologie et systématisant les cultures d'organismes génétiquement modifiés, ou affichant sans vergogne son fondamentalisme religieux. Sans oublier le visage d'une Amérique gouvernée par un président fervent partisan de la peine de mort.

Ce Nouveau Monde était en train de rompre le lien viscéral avec la vieille Europe, renouant avec un lourd héritage des folies des XIXe et XXe siècles : nationalisme exacerbé, intolérance religieuse, mais aussi prétentions impériales et exaltation de la force militaire.

Avec Bush, l'Amérique abandonna toute prudence dans le domaine stratégique, au profit d'une conception de la reconquête impériale ouvertement proclamée. Les effets de cette stratégie sont en tout cas bien là : l'intervention militaire au prix de milliers de vies sans perspective politique en Irak, protectorat coûteux *de facto* établis en Afghanistan, et l'incapacité de régler le conflit israélo-palestinien.

À dire vrai, l'Amérique de Bush semblait devenir l'obstacle majeur à la naissance d'un ordre mondial plus juste, et sa puissance, loin de stabiliser la situation, fragilisa le monde.

Mais l'ère Bush s'achève.

Barack Obama crève un abcès, et les humeurs putrides qui s'en écoulent emportent l'inévitable Hillary Clinton. Déficit du commerce extérieur, bourbier irakien, obsession du terrorisme pour justifier tous les abus, élus vendus aux lobbies (Biopharma, assurances, *agribusiness*, énergie), fantôme de la crise de 1929... Les citoyens perdent confiance dans un système que Hillary prétend être à même de réparer : élevée dans le sérail, elle en connaît les contours.

« Je la déteste, cette *has been* ! » Ces propos ne sont pas ceux d'un républicain texan, mais d'une des démocrates en vue qui, comme beaucoup, fut irritée par les grands airs et l'absence de sincérité de la candidate.

Pourtant, avant Noël, c'était la résignation : votons Clinton... Le 3 janvier, l'Iowa montrait que l'expérience tant vantée de Hillary ne faisait plus recette.

En face, Obama traverse races et partis, il vend de l'espoir, le retour aux sources et aux idéaux fondateurs. Entre Martin Luther King et John Fitzgerald Kennedy, les femmes et la pharmacopée en moins, le discours de victoire d'Obama est électrisant. À la suite de la convention du Parti démocrate en 2004, j'entendais déjà : « Quel dommage que cet Obama soit si jeune, ce serait autre chose que ce machin mou qui va nous offrir encore quatre ans de Bush... »

Qui gagnera : espoir ou prudence?

Quel que soit le résultat, est-on bien sûr de cette nouvelle donne issue de l'élection présidentielle de 2008? Connaissons-nous cette nouvelle élite, cette nouvelle Amérique qui est en train de naître au-delà des péripéties des batailles électorales?

Or, jusqu'à une date récente, l'Amérique était une base plutôt transparente et bien explorée, une clé pour déchiffrer peu à peu le reste du monde, plus énigmatique. La Russie était entourée d'un mystère consciemment entretenu et nourrie par une ambition de politique autoritaire. La Chine et le monde islamique résistaient à un examen approfondi. L'Europe elle-même conservait sa part de secret.

Pendant ce temps, l'Amérique s'exhibait sans gêne : les statistiques étaient précises et transparentes, les mouvements sociaux décrits avec précision par des sciences humaines rigoureuses et la presse était devenue le prototype même du journalisme moderne... Mais, ces dernières années, l'incertitude généralisée transforma l'Amérique en un État énigmatique.

Comme à la veille de la guerre de Sécession, comme à la veille de la grande crise de 1929, l'Amérique est en train de changer de structure. Une nouvelle donne s'impose, remplaçant peu à peu les certitudes du passé. Dans un tel contexte, Obama devient l'emblème de cette Amérique émergente.

Revenons aux précédents historiques mentionnés ci-dessus.

Les quatre visages de l'Amérique

Le premier visage de l'Amérique n'est pas seulement celui d'Abraham Lincoln, mais surtout celui d'un provincial venu d'un des treize États en rapide expansion.

Visage d'une Amérique en mouvement vers l'Ouest, inquiète de l'extension du pouvoir central. Cette première Amérique, qui court de 1788 à 1865, était agraire et maritime, libre-échangiste et confédérale, cadrée par un système politique relativement souple et attachée à une autonomie des communautés de plus en plus considérable, dominée par les démocrates du Sud et de l'Ouest. Elle fut vaincue pendant la guerre de Sécession par le Parti républicain, qui anima la guerre.

Que reste-t-il de cette première Amérique ? Sans doute le « pouvoir blanc » hérité de cette période, la question noire et le problème indien. Castration symbolique de l'homme noir, humilié dans son âme, viol collectif de la femme noire, abandonnée au caprice du propriétaire blanc. La moindre goutte de sang noir coulant dans les veines avait précipité l'être humain dans le gouffre de l'esclavage puis vers la discrimination raciale.

Mais plus tard, une forte rédemption par l'évangélisation baptiste permit au peuple noir de reprendre courage. Dans cette rédemption, cependant, est née une révolte appuyée sur les valeurs d'une Amérique puritaine et radicale. Cette complexité fera des Noirs américains des hommes et des femmes passionnés de politique, à la manière d'un Mark Twain. Subsistent encore nombre de monuments représentant les visages de cette première Amérique, tels que le Capitole et les édifices de Washington, dernière ville néoclassique de l'Occident, dont l'architecte principal, Pierre Charles L'Enfant, né à Paris, scella l'alliance entre les civilisations française et américaine.

Vers 1865 s'achevait la première Amérique, la guerre de Sécession ayant abouti à l'abolition de l'esclavage, à la destruction de l'économie traditionnelle du Sud, mais aussi au triomphe d'une politique industrielle protectionniste fondée sur les chemins de fer. Ceux-ci représentaient d'abord la conquête exclusive du marché intérieur.

À partir de la seconde moitié du XIXe siècle, le différentiel de productivité entre un Nord industriel et puritain et un Sud esclavagiste menaçait de constituer deux nations au lieu d'une : une forge anglo-allemande tournée vers l'Europe atlantique et limitée dans son expansion vers l'Ouest, et une plantation créole assujettie par le libre-échange à la France et à l'Angleterre, plus proche du Brésil que de la Nouvelle-Angleterre. L'insurrection patriotique du Nord yankee imposa par le fer et par le sang la réunification du pays, l'abolition de l'esclavage, la conquête illimitée du Grand Ouest, la domination sur le Mexique francophile et sur le Canada britannique.

Le deuxième visage de l'Amérique surgit avec la révolution industrielle, à Chicago et Saint Louis.

Ses traits sont ceux des financiers de Wall Street, des géants de l'entreprise, comme John D. Rockefeller ou Henry Ford, et des écrivains impertinents, comme Mark Twain ou encore les premiers sociologues. Cette Amérique fut portée au pinacle dans les années vingt avec la généralisation de l'automobile, la transfiguration de Manhattan et le cinéma muet de New York, symbolisé par Charlie Chaplin.

La crise de 1929 sonna le glas de cette construction insolite. Puis la montée du nazisme et l'apparition du militarisme expansionniste japonais enterrèrent cette deuxième Amérique, dès l'avènement du président Franklin Roosevelt.

La troisième Amérique résulta de la combinaison explosive d'une intervention croissante de l'État dans l'économie et d'une militarisation spectaculaire qui induisit de profondes mutations de la société, comme l'accès gratuit aux universités pour les très nombreux anciens combattants, au travail industriel des femmes, à la déségrégation raciale, à l'association croissante des universitaires et des scientifiques avec l'industrie.

Les portraitistes de cette nouvelle Amérique furent Alfred Hitchcock l'Anglais, Fritz Lang l'Allemand, Jean Renoir le Français, ou encore Orson Welles.

Les élans de cette troisième Amérique, nous les connaissons bien : bataille pour redresser l'Europe de l'après-guerre, et celle qui suivit la chute du mur de Berlin en 1989. Ce troisième visage est aussi celui d'une Amérique exubérante et presque affable, immortalisée par les chefs-d'œuvre de William Faulkner, de J. D. Salinger ou encore d'Henry Miller; la grande littérature épique d'Hemingway, la peinture de Jackson Pollock et de Mark Rothko ; le génie solitaire d'Orson Welles et l'épopée collective des grands cinéastes hollywoodiens ; l'armée de conscription des citoyens soldats et des proconsuls impériaux à la MacArthur ; l'émancipation des Noirs avec Martin Luther King, des Juifs avec Philip Roth. L'Amérique audacieuse de Manhattan et des architectures de Frank Lloyd Wright et de Frank Gehry, et l'Amérique béotienne et lascive de Santa Monica, Beverly Hills et Las Vegas, l'Amérique de la drogue qui succède à celle de l'alcool.

Mais aujourd'hui, un flou a modifié ses traits d'autrefois mettant en doute l'héritage du New Deal, de la guerre et du plan Marshall, le credo de la révolte joviale des années soixante, et plus encore la concurrence individualiste nourrie par Reagan ou même l'espoir de la mondialisation incarné par Clinton.

Il ne reste plus grand-chose de tout cela avec Bush. Et pourtant, cette nouvelle période, qui surgira immanquablement avec l'élection présidentielle de l'automne 2008, partira des jalons de l'époque précédente qui a vu s'effondrer, après l'Allemagne nazie, le Japon impérial et militaire, la Russie communiste, la dernière des dictatures véritables, la dictature arabe, incarnée par les partis baasistes d'Irak. Cette épopée s'achève dans les fumées de l'Irak. Quelle sera la prochaine page ?

Une nouvelle page

« Les Américains cherchent toujours à faire tomber les barrières, note Karl Rove, stratège politique de George W. Bush. Ils adoreraient élire une femme à la présidence. Comme ils adoreraient élire un Afro-Américain. » Feront-ils sauter la barrière raciale en choisissant Obama, métis né d'un immigré kényan et d'une fille du Kansas, qui se revendique noir, comme candidat à la Maison-Blanche ? Ce débat, tout à l'honneur de la démocratie américaine, est paradoxalement lourd de dangers pour le Parti démocrate.

Et si ce beau garçon aux allures de collégien était en train d'écrire les premiers chapitres du véritable roman de la nouvelle Amérique ?

Les mauvaises langues préféreront sans doute évoquer un scénario hollywoodien – selon la formule acerbe de mon ami Claude Imbert : « La femme, Hillary, le Noir, Obama, et le shérif, McCain. »

Disons plutôt que ce roman de la nouvelle Amérique est ponctué de plusieurs histoires à rebondissements, à commencer par le duel fratricide Hillary Clinton-Barack Obama. En effet, depuis plusieurs mois, Hillary est au coude à coude avec le jeune sénateur de l'Illinois, à l'affût de la moindre erreur de son adversaire. Le découragement ne fait pas partie du registre de Hillary. Candidate à l'investiture démocrate pour la présidentielle américaine, l'ex-première dame, âgée de soixante ans, semblait un temps condamnée à être submergée par un « raz-de-marée » nommé Obama, devenu la coqueluche des médias, avides de nouvelles figures.

Cependant, à l'instar de Bill Clinton lors de sa première élection en 1992, la sénatrice de New York s'est vu octroyer le surnom de « *comeback girl* », en référence au qualificatif de « *comeback kid* » donné jadis à son mari.

Les deux candidats semblent s'opposer moins sur le fond que sur le style. Mais la réalité est qu'ils incarnent les deux principales forces de la « révolution des droits » qui a transformé l'Amérique dans les années soixante et soixante-dix, et nourri un mouvement progressiste dont le Parti démocrate est le vecteur politique.

Barack a été marqué à jamais par les campagnes pour les droits civiques et l'égalité raciale. Hillary a été militante du mouvement des femmes depuis ses années d'étudiante à Wellesley.

« Je n'aurais jamais imaginé que le jour viendrait où un Afro-Américain et une femme se disputeraient la présidence des États-Unis », a avoué Hillary, en campagne en Caroline du Sud, dans une église noire de Columbia.

Les électeurs se déterminent d'abord en fonction de ce qu'ils perçoivent des qualités humaines des candidats et de la façon dont ils mènent leur campagne. Chacun a ses atouts. Barack Obama est un excellent orateur qui soulève l'enthousiasme des foules. Il bénéficie du soutien des jeunes et des Noirs. Malgré les incertitudes de son programme, le flamboyant sénateur réussit à provoquer l'adhésion des élites, des diplômés de l'enseignement supérieur et surtout des indépendants qui ne sont affiliés à aucun parti. Hillary Clinton, par contre, connaît mieux ses dossiers. Elle compte sur le vote des femmes, d'une majorité des Hispaniques, des Juifs et des électeurs de plus de quarante ans, bref sur la base traditionnelle des démocrates. Elle a de surcroît passé huit ans à la Maison-Blanche au côté de son mari.

Alors que la campagne devient plus âpre, de plus en plus de Latinos soutiennent de plus en plus nombreux Hillary : ils sont aujourd'hui bien mieux organisés, notamment en syndicats. Ils ont compris l'intérêt d'utiliser la politique pour mettre en avant leur programme et faire valoir leurs projets. Le couple Clinton fut le premier à prendre en compte le phénomène dès les années quatre-vingt-dix, lorsque Bill Clinton était à la Maison-Blanche. La communauté a été « travaillée », au sens politique du terme. Hillary bénéficie donc de la reconnaissance du nom Clinton.

Néanmoins, le principal handicap de Hillary Clinton se nomme... Barack Obama. Face au jeune et charismatique sénateur de l'Illinois, les défauts de la sénatrice de New York semblent amplifiés. Son expérience devient manque de fraîcheur, son sérieux manque de charisme. À ce constat s'ajoutent des questions fondamentales que les ennemis de la candidate ne manquent pas de se poser à son sujet. En effet, Hillary a toujours eu un rapport difficile à la vérité, et ce défaut s'est accru au cours de cette campagne insolite. Fragilisée par son indécision à propos des droits civiques et le rôle de Martin Luther King, Hillary Clinton a attisé les braises avec une tirade sur la responsabilité du légendaire pasteur dans la lutte contre la ségrégation. Selon elle, « il a fallu un président », Lyndon B. Johnson, pour signer la loi de 1964 sur l'égalité des droits civiques, laissant entendre qu'Obama ne pouvait pas plus se comparer au Dr King qu'à John F. Kennedy. Son rival a immédiatement dénoncé des propos « malheureux et malavisés », s'alignant sur ceux qui dénoncent une tentative de diminuer le mérite du pasteur noir emblématique (ce qui a valu à Hillary une salve de critiques de la part de la communauté noire).

La candidate Hillary avance sur des sables mouvants. Elle ne semble pas en position d'abandonner la prudence qui la caractérise pour se laisser aller à l'improvisation. En même temps, elle a conservé une foule de partisans, car, après toutes ces années passées à « devenir présidente », elle a mis sur pied une véritable machine de guerre pour faire campagne.

Elle dispose d'un atout de poids de nature à la rapprocher des électeurs, en la personne de Bill Clinton, qui reste l'un des meilleurs cerveaux politiques des États-Unis. Abandonnant un temps la fondation – destinée à mener des opérations humanitaires à travers le monde – qui porte son nom, Bill a sillonné les États-Unis pour convaincre les Américains de voter pour son épouse. Resté très populaire auprès d'électeurs nostalgiques des années quatre-vingt-dix, lorsque les États-Unis connaissaient une période de prospérité sans précédent, il a fait salle comble à chacune de ses apparitions. Mais, s'il garde en effet un talent, une chaleur qui galvanise les foules, cela donne à Hillary une image encore plus froide.

Il y a également eu des moments embarrassants au cours de ses meetings durant lesquels l'ancien président a tenu des propos à son propre sujet qui n'ont en rien aidé la candidate. Lors d'une interview télévisée, Bill Clinton accusa Barack Obama de transformer les chances démocrates de reconquérir la Maison-Blanche en un « lancer de dés ». Avant les primaires du New Hampshire, il a qualifié de « conte de fées » l'opposition à la guerre en Irak du rival de Hillary (celle-ci avait voté pour).

Nouveaux coups de sang lorsque le jeune sénateur noir a étrangement évoqué la mémoire de Ronald Reagan ou quand un juge a autorisé des *caucus* dans les casinos du Nevada. En fait, Bill Clinton, qui n'hésite pas à dénoncer les injustices du système et de la presse, joue le rôle de chien méchant, généralement réservé au colistier choisi pour la vice-présidence.

Sur les conseils avisés de son mari, l'ex-première dame multiplie les efforts pour faire oublier sa raideur, s'essayant à l'humour devant les journalistes ou évoquant un « sentiment personnel et profond la liant aux électeurs ».

À vrai dire ces élections symbolisent aussi la suite du « roman » de Bill et Hillary Clinton, rappelant encore et encore les péripéties de leurs destins réciproques. Ainsi, Hillary n'hésite pas à revenir sur la « vraie saga de sa vie », remémorant comment, pendant ses études de droit à Yale, elle rencontra Bill Clinton dans un local du Fonds pour la défense de l'enfance, ou comment elle épousa Bill Clinton pour s'installer à Little Rock, dans l'Arkansas, où son époux fut élu gouverneur avant de devenir président des États-Unis...

Durant la présidence de Bill Clinton, elle rejeta le rôle traditionnel de la première dame pour s'impliquer dans la politique, et au cœur du scandale Monica Lewinsky elle soutint son mari contre vents et marées. En novembre 2000, elle gagne finalement son siège au Sénat.

On ne peut oublier son formidable courage lorsque, anéantie par les frasques de son mari étalées devant le monde entier, elle affrontait les médias face à un véritable procès en sorcellerie. En devenant candidate à la présidence, Hillary désire revenir dans le Bureau ovale pour y effacer, par un triomphe public, une humiliation privée.

Le sanglot réprimé au cours du débat qui a précédé les primaires du New Hampshire démontre que Hillary est prête à fendre l'armure. D'ailleurs, à ce moment-là, tout le monde s'est accordé à dire qu'elle avait fait du très bon travail en tant que sénatrice de l'État de New York...

Le fait d'être une femme est-il un avantage ou un inconvénient pour Hillary Clinton ? Certes, elle a fait beaucoup pour le présenter comme un atout. Étant une femme, argumente-t-elle, elle est mieux à même de comprendre les Américains.

Dans ces élections, l'argent tient aussi un rôle excessif, comme dans les romans policiers. Des sommes folles sont dépensées et le seront encore. Il faut solliciter sans cesse des contributions, comme si une caisse bien remplie était le signe d'une popularité incontestable. Mais, en comparant les résultats obtenus par les candidats, force est de constater que Hillary Clinton a dû prêter cinq millions de dollars à son fonds de campagne, ce qui confirme qu'elle recueille moins d'argent que Barack Obama.

Si la politique était un art rationnel, ce duel serré Hillary Clinton-Barack Obama devrait inciter à un « ticket commun » pour la présidence et la vice-présidence. Mais qui serait le numéro un ?

Hillary Clinton est victime d'un phénomène de génération. Constat cruel pour une femme de soixante ans. Obama, quarante-six ans, la renvoie à Bill Clinton, aux années quatre-vingt-dix, dont ce dernier parle avec insistance, l'isolant dans le passé. L'argument utilisé, consistant à mettre en avant son expérience acquise à la Maison-Blanche, n'est pas vraiment efficace, car cela consiste à dire qu'elle seule connaît le métier. Hillary n'est alors que la femme de l'ex-président. Obama l'a d'ailleurs souligné en disant en toute simplicité que « son travail consistait à dîner avec les ambassadeurs ».

Cependant le problème majeur de la campagne du couple Clinton se situe ailleurs. En effet, son retour à la Maison-Blanche ressemblerait fort à une sorte de restauration où, en échangeant les rôles, on aurait pour la deuxième fois une coprésidence. Si Hillary était élue, son mari serait coprésident, comme il aura été cocandidat pendant la campagne. Cette perspective violerait les valeurs propres à l'Amérique qui n'a jamais connu une telle situation. Son biographe Carl Bernstein le dit haut et fort, soulignant que « dans ce couple, l'un finit les phrases de l'autre. Ils ont tous les deux le même but, et donc Bill pourrait bien sûr être la personne la plus importante d'une présidence Hillary [1] ».

Celle-ci a longtemps donné le sentiment d'évoluer, d'être capable de tirer les leçons de ses erreurs, mais ce n'était que tactique. La campagne ne montre pas une évolution mais une régression. Son retour à une conception guerrière de la politique rappelle les mauvais souvenirs de la présidence Clinton. Selon son biographe encore, « Hillary est vraiment deux personnes à la fois, une sorte de "bon, brute et truand" à elle toute seule : elle est compétente, drôle, chaleureuse, elle a vu juste sur de nombreux sujets, mais le pire de la Hillary d'autrefois est aussi ressorti durant cette campagne [2]. »

Trois autres facteurs seront décisifs dans cette évolution négative : l'héritage contradictoire de la présidence de Bill Clinton, sa légèreté vis-à-vis de la vérité, et enfin leur volonté – qui devint perceptible pour beaucoup trop de démocrates – de faire n'importe quoi pour gagner. Désormais tous les coups sont permis. Un quatrième facteur vient s'ajouter, la presse américaine, qui jouera sans doute un rôle déterminant : elle déteste Hillary, la trouvant tout sauf ouverte, et se sent frustrée.

Dans ce roman vrai de la politique américaine, quelle est la différence réelle entre les programmes d'Obama et de Clinton : s'agit-il uniquement d'une rivalité de personnes ou concerne-t-elle des questions de fond ?

En réalité, ce sont deux conceptions assez différentes. Derrière l'incontestable talent d'orateur d'Obama – élément déterminant de sa campagne – se profile l'opposition radicale à la politique antiterroriste de George W. Bush et à sa campagne en Irak.

Le sénateur Ted Kennedy l'a proclamé : il a été choqué par le type de campagne que mènent Hillary et Bill Clinton, et il a estimé que Barack Obama était un leader d'une autre dimension, capable de mener le pays dans une nouvelle direction.

Sa réussite fut vertigineuse car, à peine installé dans son siège de sénateur de l'Illinois, Obama se propulsa à la candidature à la prési-

---

1. *Le Figaro*, 4 février 2008.
2. *Ibid.*

dence des États-Unis et s'assura un nombre croissant de soutiens bien au-delà de sa base naturelle – la gauche pacifiste ou le vote ethnique afro-américain.

On peut supposer que le message assez radical d'Obama, notamment à propos de la guerre en Irak, rende sa candidature aléatoire, ressemblant à celle de George McGovern, rival malheureux de Richard Nixon en 1972, qui obtint le plus mauvais résultat du Parti démocrate depuis 1924. Paradoxalement, toutes ces positions tranchées n'ont pas remis en question le mouvement en faveur de sa candidature, y compris parmi les électeurs républicains.

Mais le roman des précurseurs d'Obama est aussi féerique. Si l'ascension d'Obama a été si fulgurante, c'est parce qu'il puise ses racines dans l'héritage de John F. Kennedy et de Martin Luther King.

En effet, ce jeune juriste diplômé de la prestigieuse université d'Harvard, qui dirigea quelques années la revue de droit de son université, entama une carrière politique comme député d'une légendaire circonscription de Chicago, où fut élu le premier député noir, à la fin du XIXe siècle, et où est né le mythique pasteur Martin Luther King. À peine deux ans plus tard, tout comme Kennedy à la fin des années quarante, il remporta avec brio l'élection sénatoriale de son État, déjà avec le soutien des électeurs blancs, devenant ainsi un personnage de dimension nationale malgré le fait qu'il fût dépourvu de compétences particulières, notamment en économie et en politique étrangère. Dans l'Illinois, dès novembre 2004, il obtint 80 % du vote noir, mais aussi 70 % des voix des électeurs blancs.

Mais le phénomène Obama est sans doute aussi lié à la dimension religieuse de la politique américaine : il vogue sur la soif de rédemption des Blancs, coupables de quatre siècles de discrimination raciale ; la gauche tout autant que la droite cherchant à se repentir des crimes de l'esclavage. Ceci concerne particulièrement le Nord abolitionniste, même si, à l'orée du XXIe siècle, ce désir existe également dans le Sud.

Obama a donc osé lancer une opération à la Kennedy. Mais au-delà de ce parallèle évident, un spécialiste chevronné, Alexandre Adler, m'a cité un autre précédent historique : celui de Charles Lindbergh. Il affirme même que « si ce dernier avait osé se présenter contre Roosevelt en 1940 avec l'appui de Kennedy père, entre autres, il aurait lui aussi sûrement réconcilié l'Amérique avec les pays de l'Axe qui représentaient une bonne partie du monde de l'époque. Qu'importe au fond, car le correctif semi-isolationniste et semi-protectionniste, que le peuple américain appelle déjà de ses vœux depuis 2004, doit bien s'exprimer d'une manière ou d'une autre. Ses excès pourraient même se corriger dans la durée, et grâce à la séparation des pouvoirs entre président et Congrès. Aussi, beaucoup d'Américains mi-convaincus, mi-interrogatifs sont prêts à donner sa chance au jeune sénateur, sans mesurer l'effet de souffle que son élection va inévitablement amener [1] ».

Qui est Barack Obama ? Le fils d'un homme venu d'Afrique et d'une femme blanche du Kansas : « Un rêve commun né sur deux continents. » « Je me présente à vous, plein de gratitude pour mon héritage, conscient que mon histoire appartient à la plus ample histoire américaine, et qu'elle n'aurait été possible dans nul autre pays. »

La romanesque histoire de Barack Obama bat tous les records ! Il est le symbole du rêve américain, cette nouvelle Amérique mondialisée marquée par l'intégration réussie. L'enfant surdoué, couvé par une mère aimante, tombe dans la course présidentielle comme le héraut du changement. Les racines familiales d'Obama sont tout aussi mythiques. Son père, également prénommé Barack, lui-même fils d'un notable kényan guérisseur de la tribu nomade des Luo, était devenu cuisinier des colons de la ville d'Alego, au bord du lac Victoria, et avait pu entrer à l'école de la mission. Les pasteurs avaient vite choyé ce petit garçon surdoué, payant bientôt ses études à Nairobi, avant de l'envoyer, nanti d'une bourse, poursuivre son cursus d'économétrie à l'université de Hawaï. Seul Noir, ce jeune homme affable fonda l'association des étudiants étrangers, obtint les meilleures notes de sa promotion et conquit une jolie brune, étudiante en anthropologie, nommée Ann Dunham. Les amants se marient en 1960 ; leur enfant, Barack Hussein Obama, naquit le 4 août 1961. Le couple se sépara deux ans plus tard.

Obama se garde de flatter l'identité raciale, mais l'image parle d'elle-même. Ainsi, sa grand-mère africaine, mamma luo, pose volontiers devant sa masure au toit de tôle, triant des haricots dans le fin fond d'un village kényan à coté du tombeau de son fils mort prématurément dans un accident de la circulation.

---

1. Alexandre Adler, *L'Odyssée américaine*, Grasset, 2004.

Avec un père musulman, une appartenance à une église protestante noire du pasteur Right marqué par une rhétorique tiers-mondiste, on peut se demander si le changement de forme, déjà effectué par ce « nouveau Kennedy » métissé, exprime la mutation profonde des fondamentaux de l'Amérique. Son discours d'unité, son refus des clivages traditionnels entre États rouges (conservateurs) et bleus (progressistes), entre partisans des valeurs et critiques du déclin moral, a même séduit des républicains modérés.

Barack Obama s'est empressé de tenir un discours rassembleur : « Cette élection ne met pas les riches contre les pauvres, les jeunes contre les vieux, les Blancs contre les Noirs. Elle porte sur le passé contre l'avenir. »

En tout état de cause, Obama préfère réconcilier l'Amérique avec elle-même, mais aussi l'Amérique avec le monde.

Pour présenter la petite famille d'Obama, ses filles, Malia et Natasha, son épouse, Michelle, les médias américains évoquent volontiers le trio John – John, Caroline et Jackie Kennedy –, quand ils n'annoncent pas l'avènement d'un JFK noir.

Obama est-il le symbole d'une Amérique postraciale ? Si le vote a cessé d'être raciste, il n'en demeure pas moins racial. Si les Noirs plébiscitent Obama – 88 % dans l'Alabama –, c'est bien parce qu'ils n'entendent pas passer à côté de l'occasion historique d'avoir un premier président noir. Si les Blancs votent pour lui, c'est parce qu'il est ce candidat noir qui rompt avec le discours des leaders afro-américains de la génération précédente. En refusant d'évoquer le passé esclavagiste, il les débarrasse de ce que l'on appelle aux États-Unis la *white guilt* – la culpabilité blanche.

En ce sens, le succès d'Obama ne tient pas à un positionnement au-delà du Noir et du Blanc, comme on l'a trop vite annoncé, mais à son habileté propre à s'adresser à la fois aux Noirs et aux Blancs. Son ascension ne symboliserait donc pas la fin des identités, mais cette capacité, pour les nouvelles générations, à assumer des identités multiples.

Mais le roman vrai de la vie du rival républicain d'Obama est tout aussi passionnant. Cette année, rien ne semble pouvoir arrêter John McCain dans la course à l'élection présidentielle. Il a pourtant connu une longue traversée du désert avant de revenir au premier plan.

À soixante et onze ans, John McCain a frôlé plusieurs fois la mort, physique pendant la guerre du Vietnam, politique par la suite. Il s'en est toujours sorti. Après s'être forgé une réputation de tête brûlée lors de ses années à l'Académie navale, le jeune McCain partit pour le Vietnam en 1966, sur le porte-avions *Forrestal*. Il vit la mort de près, notamment en octobre 1967, lorsque son avion fut abattu en vol. Le jeune soldat se retrouva dans la jungle, grièvement blessé. Découvert par des villageois, il fut soumis à un lynchage en règle puis envoyé dans un camp de prisonniers où il resta cinq ans et demi, subissant la torture.

Accueilli en héros à son retour aux États-Unis, il décida de mettre fin à sa carrière militaire en 1981 pour se lancer en politique. Il devint sénateur de l'Arizona en 1986. La vie politique lui réservait d'autres épreuves. En 2000, il se lança dans la course à la Maison-Blanche. Après une campagne au cours de laquelle il subit des attaques personnelles très dures de la part de ses adversaires, il dut s'incliner face à George W. Bush. Aux États-Unis, rares sont les candidats qui ont su se relever d'une défaite à la présidentielle. Le destin national de John McCain semblait alors condamné.

Mais il allait une nouvelle fois tromper le destin. II y a encore six mois, avant le début de la campagne, le sénateur de l'Arizona stagnait autour de 10 % dans les sondages. Son soutien à la guerre en Irak et son appui à un projet de régularisation de douze millions de clandestins avaient plombé son image. Peu auraient alors parié sur un candidat de plus de soixante-dix ans, qu'on avait fini par oublier. Mais les autres prétendants, républicains notamment, n'ont pas su faire l'unanimité. John McCain a par ailleurs réussi à exploiter au mieux le succès apparent de la stratégie d'envoi de renforts en Irak. Après avoir peiné à trouver des financements pour sa campagne, le sénateur s'est adapté en abandonnant l'échelle nationale pour se concentrer sur le terrain. Une tactique qui a porté ses fruits lors de la première étape des primaires, dans le New Hampshire, qu'il a remportée. Profitant de l'élan donné par cette victoire, il a réussi son pari.

John McCain se présente comme un conservateur pur et dur, mais anti-Bush, moins rigide sur l'immigration et la sécurité, et dont le sort dépendra surtout de celui de l'Irak. Si la normalisation progressive déjà constatée, hors Bagdad, s'étend, son horizon s'éclairera : nombre d'électeurs républicains, et même une partie des démocrates, ne sont pas convaincus que l'équipée irakienne tourne à la catastrophe. Quitter l'Irak, certes, mais Bagdad sans Saddam Hussein ni les Américains sera remise entre les mains d'Al-Qaida. McCain propose une alternative. Sur l'échiquier du Moyen-Orient, chiites et sunnites ont d'ailleurs aussi leur mot à dire.

En définitive, à la lumière de la crise irakienne, McCain reste un rival taillé sur mesure pour Obama.

Toute une génération, comme en 1960, entend tirer un trait sur le passé et cherche un leader pour assurer le renouveau de l'Amérique. Le flamboyant sénateur de l'Illinois réussit à dépasser les clivages entre les partis établis depuis ces trente dernières années, sachant que les Clinton en ont joué, et ont finalement ainsi contribué à l'affaiblissement du pays. « Les Américains recherchent le candidat qui rassemble, qui efface les divisions présentes », et Obama semble davantage capable de séduire.

Obama en 2008 ? 2012 ? 2016 ? Le jeune sénateur incarne désormais une Amérique métissée, refondant une gauche ringarde et promettant la « révolution » à la Maison-Blanche. Sa percée féerique l'a d'ores et déjà fait entrer dans les annales, quels que soient les résultats de la présidentielle de novembre 2008.

Ce document d'exception nous donne la clé pour déchiffrer l'énigme Obama, tout en nous contant ce passionnant roman de la nouvelle Amérique.

Vladimir Fédorovski

Introduction

Obama, le symbole d'une nouvelle Amérique

Ce qui était une brise, un chuchotement à peine audible, est devenu un vrai vent de changement qui souffle sur les États-Unis. Un jeune provincial sans grande expérience, tout juste élu sénateur, avec un nom qui évoque davantage la menace terroriste que les certitudes rassurantes du Mayflower, sème la pagaille dans une élection où tout semblait avoir été décidé d'avance. On avait du mal à y croire, on lui donnait quelques mois – et pourtant le voilà en tête de l'investiture démocrate, en passe de commencer sa bataille pour la Maison-Blanche. Il ne se contente pas de rafler la mise aux élections – il voudrait aussi changer son pays, et pourquoi pas le monde, au passage ?

Obama pourra-t-il changer l'Amérique comme il le promet ? « Il n'est comme personne, confie un électeur enthousiaste. C'est du jamais vu. » En effet, Barack Obama a l'art de provoquer dans les foules – et les élites – américaines un enthousiasme rare. Une participation record aux primaires, un engagement sans précédent des jeunes en politique, la tornade Obama semble aller bien au-delà de ce qu'on pouvait attendre et suscite un intérêt jamais observé pour les primaires américaines, qui nous offrent cette année l'un des meilleurs millésimes d'un thriller presque hollywoodien. Si Obama déclenche des passions aussi fortes, il n'en reste pas moins un mystère. Qui est cet homme ? Quel est son parcours ? Comment un pays qui a élu George W. Bush quatre ans auparavant peut en venir à aduler un homme politique, jeune et noir, dont on connaissait à peine le nom il y a quelques années ? Qu'est-ce qui se cache derrière l'enthousiasme des foules qui l'acclament ? Comment cet homme inconnu hier peut-il susciter autant d'émotions ?

Malgré une vague d'« obamania » qui passe par le pays, il ne s'agit pas de populisme pur et simple – la vision d'Obama est différente de l'habituelle politique spectacle des États-Unis. C'est une nouvelle philosophie et une nouvelle approche de la société, ancrées dans certaines valeurs qui remontent aux pionniers de l'Amérique, mais aussi dans d'autres tout à fait nouvelles. D'où vient un tel revirement dans la politique américaine ? Alors que le monde entier commençait à tourner le dos à l'Amérique, comment expliquer un tel changement de situation ? Qu'est-ce que son succès veut dire pour le monde ?

En effet, Obama représente à bien des égards une rupture dans la société américaine. Il semble être porté au pouvoir par une nouvelle génération, et propose au monde une Amérique inconnue – terre presque vierge, que l'on avait omis de voir sous la brume du gouvernement Bush. L'intérêt d'Obama, au-delà de sa spectaculaire ascension et indépendamment du résultat des élections, est bien de comprendre le nouveau visage d'un pays qu'on croyait si bien connaître..

En plus d'être le symbole et le porte-parole de cette Amérique émergente, Obama présente les traits d'une nouvelle race d'hommes politiques – un homme politique postmoderne. Il se montre ainsi en phase avec notre époque et semble porté par celle-ci.

La rupture que représente Obama va au-delà des évidences. Il n'est pas seulement intéressant parce qu'il est noir dans une société majoritairement blanche, ou jeune dans un environnement qui valorise l'expérience. Ce n'est pas parce qu'il est ceci ou cela, familier de la côte est des États-Unis ou bien du Midwest, c'est parce qu'il est toutes ces choses à la fois qu'il est postmoderne. Son identité d'homme politique est fluide et complexe – ce qui semblait être un écueil a fini par devenir un avantage clé. C'est ce qui lui a permis de captiver l'électorat américain et d'incarner une Amérique nouvelle, qui défie les idées reçues et déjoue les attentes des observateurs.

La première rupture qu'accomplit Obama est générationnelle. À quarante-six ans, le même âge que Kennedy quand il arrive au pouvoir, Obama offre un contraste frappant avec celui qui est désormais son principal opposant, le républicain John McCain. À soixante et onze ans, le héros de la guerre du Vietnam voudrait être le candidat le plus âgé à être élu président. Il est vrai que Ronald Reagan l'avait été à soixante-treize ans, mais c'était pour un deuxième mandat, quatre ans après le premier. L'âge avait été un obstacle majeur pour Bob Dole qui essuya une défaite à soixante-treize ans, en 1996, contre un Bill Clinton pétillant de jeunesse. Il est frappant que l'un des candidats les plus jeunes de toute l'histoire politique des États-Unis affronte l'un des plus âgés. Alors que les médias sont à l'affût de toute gaffe de la part de McCain, Barack Obama affiche une jeunesse sans complexe. Cet écart d'âge représente la plus grande différence entre les deux candidats à la présidence.

Le clivage des générations va au-delà de cette question ; même Hillary Clinton, la soixantaine bien portante, appartient à une autre génération. En effet, c'est quelque part entre les deux candidats que passe la frontière entre les baby-boomers, qui ont formé l'Amérique, et ceux qui les ont suivis. Barack Obama avoue volontiers qu'il est largement passé à côté des débats des années soixante. C'est plutôt la génération de sa mère, idéaliste et radicale, qui y a ses racines. Hillary Clinton en fait pleinement partie. C'est pendant les années soixante qu'elle a découvert sa vocation politique ; c'est dans le courant protestataire de ces années que sont ancrées ses opinions politiques. Le vocabulaire profondément à gauche, la hantise d'une conspiration de la droite que Hillary, comme chacun sait, voit de tout côté – il est impossible de comprendre ces polémiques sans la grille de référence des années soixante. C'est aussi de cette période qu'elle tient son charisme.

Obama reconnaît lui-même qu'en observant le jeu politique de l'ère Clinton, le conflit avec Gingrich, leader républicain fortement fédérateur, il croyait voir se dérouler sous ses yeux le drame de la génération des baby-boomers. Reconnaissant ses racines démocrates, il est conscient des avancées que cette génération politique a apportées à la société. Mais, comme il aime ironiser dans ses discours : « réveillez-vous : les années soixante sont terminées ».

C'est comme si la politique américaine n'avait cessé d'être sous l'emprise de ces années. Que l'on soit pour, comme les progressistes, ou contre, comme les reaganiens ou les néoconservateurs, on se déterminait toujours par rapport à elles. Dans une société de plus en plus mouvante, les acquis des années soixante étaient le seul point de repère fixe, des valeurs dont on pouvait toujours se réclamer, des combats à l'aide desquels on pouvait toujours galvaniser les foules. On voit effectivement comment nombre de débats dans la société américaine d'aujourd'hui – de l'avortement au droit à l'assurance-maladie pour tous, et bien sûr la guerre en Irak, qui n'est pas sans rappeler la guerre du Vietnam – sont inspirés par les revendications de ces années.

Mais cette domination politique des années soixante pourrait toucher à sa fin. Une nouvelle ère commence dans la politique américaine. La question est : que va-t-elle apporter ?

Alors que Hillary se réclame et ne manque pas d'évoquer, dans l'esprit des Américains, les combats des années soixante, Barack Obama est le premier personnage politique qui a une chance réelle de dépasser les clivages de cette époque. Il comprend les baby-boomers comme on comprend ses parents – avec compassion mais avec une distance très nette. La mère d'Obama n'est effectivement née que cinq ans avant Hillary Clinton.

Voilà un souffle d'air frais pour les générations post-baby boom, qui ont toujours vécu sous la coupe de cette génération inévitable, de sa présence écrasante. Jusqu'à présent, aucun débat politique n'était concevable sans les références, même en filigrane, aux débats des années soixante ; c'est donc bien un vent nouveau qui souffle dans la politique américaine. Ce changement de paysage témoigne d'une liberté soudaine vis-à-vis des conflits des générations passées, où toute confrontation se pensait en termes d'opposition ou non à la guerre du Vietnam. Les nouvelles générations ont tout à coup la voie libre pour créer leur propre histoire.

La deuxième rupture opérée par Obama est une rupture religieuse. Barack Obama ne cache rien de sa spiritualité ; la nouveauté de son comportement et l'appétit de cette nouvelle Amérique pour son message dépassent le conflit entre religion et athéisme. À la différence des leaders évangéliques qui viennent souvent de milieux profondément religieux, Obama vient d'une famille à l'approche spirituelle très contrastée. De père musulman et de mère athée, il a grandi entouré des livres sacrés de cultures différentes, de la mythologie grecque aux mythes fondateurs de Babylone en passant par la Torah, la Bible chrétienne et le Coran. Sa mère l'emmenait à l'église à Noël et à Pâques, mais aussi au temple bouddhiste, sur les tombes rituelles de Hawaï et aux célébrations du nouvel an chinois. C'est donc sans aucune idée préconçue qu'il a pu aborder le sujet de la religion. Sa sensibilité religieuse s'est ainsi inscrite dans le cadre de sa recherche très personnelle du sens de l'existence, de la valeur de son travail, et d'une communauté d'appartenance. Elle est plus le fait d'un choix, d'un questionnement que de la convention. La foi d'Obama a aussi une tonalité différente : dans le débat entre religion et raison, sa génération refuse de choisir ; d'où une foi intellectuelle et modérée, qui n'a pas peur d'invoquer le doute comme preuve de sa vivacité ; qui ne se cache pas mais ne prétend pas imposer son chemin aux autres. Obama écrit : « Je n'ai pas connu d'illumination. Je me suis contenté de reprendre à mon compte une série de valeurs et d'idéaux que m'avait inculqués ma mère, la foi en la bonté, l'empathie et la discipline, la responsabilité, bref, ce genre de valeurs. Et j'ai trouvé dans l'Église un véhicule, un écrin correspondant à mes valeurs. »

Voilà donc un visage entièrement différent de l'Amérique chrétienne, tout à fait aux antipodes de celui des évangélistes d'extrême droite qui ont porté Bush au pouvoir. Une Amérique qui place toujours la foi au centre de son expérience, comme c'est le cas depuis les puritains fuyant les conventions du Vieux Monde, et des pères fondateurs aussi croyants qu'ils étaient révolutionnaires. C'est l'Amérique de centaines, sinon de milliers de jeunes qui se réunissent dans les églises le dimanche, églises qui prennent souvent la place intellectuelle des auditoires d'université où ils se rassemblent. Une Amérique où le questionnement religieux va souvent main dans la main avec l'activisme politique. Obama semble être le symbole de cette Amérique de jeunes intellectuels chrétiens qui redoutent la récupération politique et la simplification ; ils ne placent plus les choix sociaux tels que l'avortement et le mariage homosexuel au centre de leur préoccupation. C'est une foi qui est centrée sur l'expérience intérieure et communautaire plutôt que sur des impératifs de choix de société.

La troisième rupture effectuée par Obama est une rupture de style. Contrairement au style quelque peu sec de Hillary Clinton, toujours concentrée sur les dossiers telle une élève studieuse au Grand Oral, Obama mène une campagne inspirée des grands principes et ne s'attarde pas forcément aux détails. Souvent accusé de n'être pas concret, Obama n'encombre pas son électorat de dossiers compliqués ; alors que lui-même est un grand croqueur de dossiers, il a appris sur les désirs de l'électorat dans ce genre de campagne. Tandis qu'au début de sa carrière politique il pouvait ennuyer son public de discours aussi complexes qu'interminables sur la politique fiscale, son style a changé à la suite d'échecs politiques, en particulier la défaite contre Bobby Rush lors des élections au Congrès. Ce revirement rend Obama similaire au roi de la politique américaine, John F. Kennedy. Tellement mythique qu'il inspire encore une dévotion dont bénéficient peu de présidents américains (surtout un demi-siècle plus tard), Kennedy était au départ un candidat plutôt timide, qui ne se sentait pas à l'aise dans les bains de foule. Peu à peu, il est passé maître dans l'art de captiver les foules ; le souvenir de ces brèves rencontres est encore chéri par les familles américaines comme un événement qui a changé leur vie. De même, Barack a appris à connaître son auditoire ; un auditoire qui aux États-Unis demande autant à être inspiré qu'à être guéri de ses maux. Face à une Hillary Clinton qui met un point d'honneur à exposer ses intentions dans le détail comme si elle était déjà présidente, Obama est le triomphe de la poésie sur la prose.

La quatrième rupture de Barack Obama concerne l'ambition et le sens de la politique elle-même. L'une des raisons de l'énorme popularité d'Obama est sa vision différente de la politique, plus axée sur un discours direct et une volonté de résoudre les problèmes : « Ce qui se passe quand on a une approche tactique, tout en finesse, des grands problèmes, c'est que le mandat ne prend jamais forme... L'électorat américain commence à penser que ces questions sont assez simples. Puis on essaie de bouger les choses et aïe ! Mettons qu'il faille changer le code fiscal ou remanier le budget de l'Énergie, le peuple n'est pas prêt. Les républicains exploitent la différence entre ce qui se dit pendant une campagne et ce qui se fait. Et c'est pourquoi on n'arrête pas de remettre les choses à demain [1]. »

Ce renversement des tactiques électorales classiques révèle une autre énorme différence avec Hillary Clinton : « Hillary mène une campagne selon les règles. Mais ce sont des règles qui ne correspondent plus à notre époque. Les règles imposent qu'on n'aborde pas directement en campagne des sujets difficiles car c'est offrir une cible ouverte dans le contexte de l'élection (l'élection présidentielle est à l'opposé de l'élection primaire qui se fait sur les choix des candidats des partis). On dit aux gens ce qu'ils veulent entendre et on évite la dure vérité [2]. »

---

1. *The New Yorker*, 26 novembre 2007, p. 76. Toutes les citations et extraits de discours ont été traduits par l'auteur (N.d.E.).
2. *The New Yorker*, 26 novembre 2007, p. 72.

Finalement, et de manière évidente, Barack Obama est le signe d'un vrai changement de fond de la société américaine notamment en ce qui concerne la couleur de peau. Ce changement d'attitude va bien au-delà de l'énorme surprise que constitue la candidature d'un Noir américain à l'élection présidentielle. Il y a eu des candidats noirs auparavant – Jessie Jackson en est le grand exemple en 1984 et 1988 – mais leur appel était limité à la communauté noire et leur campagne centrée sur la problématique de celle-ci. L'espoir d'être élu, même s'il apparaissait, s'évaporait rapidement, souvent face à ce qu'on appelle l'effet Bradley. Bradley, maire de Los Angeles et candidat à l'élection de gouverneur de Californie, n'a pas été élu malgré des sondages indiquant une forte popularité et des intentions de vote très positives. Un sentiment confus, de devoir et de honte, pousserait les électeurs blancs à se déclarer prêts à voter pour un candidat noir et à se rétracter dans l'intimité de l'isoloir. Obama est le premier candidat à la présidence à faire exception : la première victoire électorale des primaires, qui a donné du souffle à sa campagne, était dans l'Iowa, un État à 91 % blanc. En Californie, ce sont les électeurs blancs qui l'ont le plus soutenu – ainsi Obama est-il capable de fédérer quelle que soit la communauté. Obama est l'antidote naturel aux tensions sociales que l'Amérique n'a jamais su résoudre.

Cette capacité à nouer un lien et se faire comprendre par différentes communautés vient de l'histoire personnelle d'Obama – et en fait un personnage éminemment nouveau sur la scène politique américaine. En effet, Obama est le candidat idéal pour dépasser le clivage entre les communautés noire et blanche, car il est issu lui-même de ces deux communautés. Fils d'un père originaire du Kenya, et d'une mère blanche originaire du Midwest, Obama se sent à l'aise dans ces deux mondes. Il s'est appliqué à se créer une image d'homme politique noir et a fait un voyage fondateur au Kenya pour renouer avec sa famille africaine et ses racines noires. Il se sent tout aussi à l'aise parmi les ouvriers et les fermiers du Midwest – cette classe moyenne qui fait le cœur de l'électorat américain ; il a admis que ces gens lui rappellent, par leurs valeurs, leur cuisine et leurs manières, ses grands-parents originaires du Kansas qui l'ont largement élevé. Chrétien qui a fait une partie de sa scolarité dans une école musulmane en Indonésie, ressortissant de Hawaï, qui connaît aussi bien ces deux côtes où il a fait ses études universitaires, que le

Midwest, où il a vécu pendant des années et bâtit son assise politique, il incarne ce que l'Amérique avait toujours rêvé d'être et a finalement une chance de devenir.

Cette ambivalence – ou versatilité – n'est pas seulement géographique. En effet, la raison du succès d'Obama est qu'il est à la fois élitiste et populaire – ayant la meilleure éducation mais ayant vécu dans des quartiers pauvres. Ainsi que le dit David Axelrod, son conseiller politique : « Il y a cette impression que c'est un intellectuel aux idées compliquées, éduqué à Harvard, mais en même temps un garçon qui a été élevé par une mère seule et qui n'était pas là tout le temps parce qu'elle ne le pouvait pas. Il a dû pas mal se battre... »

C'est ce qui fait d'Obama un homme politique essentiellement postmoderne. Son identité n'est pas faite d'enracinement, elle n'est plus statique telle l'identité traditionnelle, mais faite de fluidité et de dynamisme. Les nombreuses facettes de sa personnalité politique lui permettent de comprendre et de réunir des gens différents.

Une telle capacité à transcender les clivages est un trait de l'homme politique postmoderne et la raison pour laquelle les électeurs réagissent avec autant d'enthousiasme à son message de rassemblement. Comme le dit l'un de ses amis de longue date : « Barack a passé sa vie à naviguer entre deux mondes. Il est maintenant en train de les transcender. »

Ces origines diverses, ces sources d'inspiration multiples, font d'Obama le symbole parfait de la vie moderne et la personne idéale pour comprendre la société d'aujourd'hui. Cette complexité assumée est tout simplement ce qui le rend proche des Américains d'aujourd'hui, une société qui n'est plus noire et blanche comme à l'aube des années soixante, au sens propre et au sens figuré. Cette versatilité fait à la fois sa force et sa faiblesse – il a en effet été comparé à une page blanche sur laquelle les lecteurs peuvent projeter leurs propres idées. Obama lui-même, utilisant plutôt la métaphore du cinéma, dit être « un écran blanc sur lequel des gens de bords politiques différents projettent leurs propres idées ».

Girouette ou catalyseur ? Il peut paraître paradoxal qu'un homme politique déclare lui-même être un réceptacle des désirs et projections de ses électeurs. Tel le Koutouzov de *Guerre et Paix*, Obama sait qu'il faut être à l'écoute. Il n'est plus suffisant de se réclamer de telle tendance ou de telle couche de population ; pour incarner notre époque, un homme politique doit être toutes ces choses à la fois. Si l'individu postmoderne n'a plus de « moi » solidement identifiable, mais une identité complexe, dynamique et fluide, il en va de même pour l'homme politique. Ce n'est plus l'incarnation d'une idée ou d'une idéologie figées, mais le reflet de la complexité de la société dans laquelle nous vivons.

C'est ainsi qu'Obama est devenu un personnage emblématique de la nouvelle Amérique. Une Amérique qui s'éloigne des conflits des années soixante, une Amérique où la foi reste centrale mais où une nouvelle génération de chrétiens la vit de manière plus cérébrale et modérée, une Amérique qui a soif d'une nouvelle vision de la politique, qui après des années de division entre dogme et cynisme a de nouveau envie de croire à la politique comme art du possible. Finalement, Obama semble ouvrir une nouvelle page de la politique américaine – une politique où les électeurs cherchent leurs propres reflets dans leurs leaders et où il n'est plus suffisant d'être enraciné dans un seul groupe social – où il est nécessaire d'avoir des affinités avec plusieurs.

I

Le parcours d'une étoile montante

CHAPITRE 1

Racines et ouvertures : une enfance américaine typique ?

Dans un projet de livre pour enfants, Barack Obama voulait décrire la vie d'un petit garçon mince aux grandes oreilles. Il était en effet ainsi dans son enfance – grand et athlétique, avec de grandes oreilles. Est-ce que ce trait était dû à sa capacité d'écouter ? En effet, où qu'il soit, Barack Obama se trouvait différent des autres ; sa capacité d'écoute est donc devenue centrale.

« Mon père vient du Kenya et mon accent du Kansas » : ainsi Obama a-t-il pris l'habitude de commencer ses discours. Sa mère, Stanley Ann Dunham, était originaire d'une famille du Midwest installée à Hawaï. Avec des ancêtres venant d'Écosse, d'Irlande, du Kansas et des Indiens Cherokee, elle était née à Wichita, Kansas. Son père, qui voulait un garçon, lui donna le prénom masculin de Stanley, vite abandonné pour son deuxième prénom, Ann. Esprit indépendant et curieux, elle avait envie de découvrir le monde, et le monde qui s'ouvrait à elle dans les années soixante était très différent de ce qu'elle avait connu pendant son enfance dans la classe moyenne. Elle avait été acceptée à l'université de Chicago, mais son père lui ayant interdit de s'installer aussi loin du domicile familial, elle a commencé ses études à l'université de Hawaï. Toujours fascinée par les cultures différentes, c'est là qu'elle a rencontré, en cours de russe en première année, Barack Hussein Obama père, étudiant venu du Kenya. Comme Ann était toujours intriguée par ce qui était différent et inconnu, elle a immédiatement été attirée par cet étudiant noir, studieux, réfléchi et plein de confiance en lui. De longues soirées de discussions sur tous les sujets chers aux étudiants des années soixante ont démontré ce qu'ils avaient en commun malgré leurs histoires différentes.

Barack Hussein Obama venait de la tribu des Luo, troisième tribu la plus importante du Kenya, vivant le long du lac Victoria. Fils de l'un des anciens de la tribu, également guérisseur réputé, Barack Hussein Obama a grandi dans la religion musulmane, en s'occupant des chèvres familiales et en fréquentant l'école anglaise pendant l'occupation britannique, où il a pu apprendre l'anglais. En 1959, à l'aube d'une nouvelle ère dans les universités américaines, il a été admis à université de Hawaï. Il faisait des études d'économie, était brillant, recevait les meilleures notes, et avait fondé l'Association internationale de l'université.

Leur décision de mariage fut aussi soudaine pour une famille que pour l'autre. Le mariage des parents d'Obama rappelle le fameux film des années soixante, *Devine qui vient dîner ?*, avec Katharine Hepburn, Sydney Poitier et Spencer Tracy, où l'annonce de mariage d'une jeune fille blanche avec un jeune docteur noir, charmant et bien éduqué, provoque un tollé dans les deux familles. Les parents de la mariée, qui avaient toujours éduqué leur fille avec beaucoup d'ouverture d'esprit, ne s'attendaient pas à ce qu'elle applique leurs leçons à la lettre ; ils trouvent des alliés inattendus dans les parents du marié, qui insistent sur le fait qu'un tel mélange de cultures ne pourrait être que nuisible à la paix du ménage.

Barack lui-même avoue avoir été surpris que ses grands-parents aient donné leur accord au mariage de leur fille de dix-huit ans avec un étudiant africain de vingt-trois ans. À l'époque, le mariage mixte était encore interdit dans la moitié des États américains – dans certains États du Sud, Barack Obama père courait le risque d'être lynché ou pendu pour avoir épouser une femme blanche. Hawaï, avec ses traditions de mélange de différentes civilisations, était plus ouvert, mais le mariage d'Ann et Obama était quand même perçu comme avant-gardiste.

La famille africaine d'Obama, établie au Kenya, était fortement opposée au mariage. Barack Hussein Obama avait déjà été marié au Kenya, et son père redoutait qu'un mariage aux États-Unis ne ferait qu'éloigner encore davantage son fils de sa famille, de ses traditions ancestrales et de sa tribu natale. Selon la coutume africaine, il était possible d'épouser plusieurs femmes, et le divorce au Kenya était une simple cérémonie de village, ne nécessitant aucun papier ; du côté américain, en revanche, les choses étaient plus difficiles. Malgré les réticences familiales, Ann et Barack ont décidé de se marier et, un an plus tard, le petit Barack était né. Ses parents ont décidé de lui donner le prénom paternel, qui signifie « béni par Dieu » en swahili, ou « éclair divin » en hébreu ; son nom de famille, Obama, signifie « lance enflammée » en swahili.

Barack Obama fils est né le 4 août 1961 à Honolulu, dans l'État de Hawaï, à l'aube d'une époque qui allait changer l'Amérique. Hawaï, une île aux confins des États-Unis, était un univers particulier pour l'enfance du petit Barack. Un lieu de mélange des cultures – polynésienne, encore très forte dans les coutumes locales, et américaine, avec beaucoup d'influences asiatiques, japonaise en particulier, mais aussi chinoise et philippine. La beauté naturelle de l'île, avec ses collines ondoyantes et les vagues vigoureuses de l'océan, a bercé l'enfance du petit Obama. Entre les après-midi passés à lézarder sur la plage, les matchs de basket-ball – son sport favori – et sa famille aimante et protectrice, ses jeunes années avaient toute l'apparence d'une enfance traditionnelle américaine.

Derrière les apparences, la vie du petit Obama était un vrai tourbillon. Deux ans après sa naissance, le père d'Obama a décidé de quitter la famille pour l'université de Harvard, poursuivant un destin d'exception qui allait laisser des blessures dans l'âme de son petit garçon – des blessures qui mettront du temps à se refermer. Le père d'Obama, d'une grande intelligence et d'une confiance en lui encore plus considérable, avait le choix pour ses études de doctorat entre la New School, à New York, qui offrait également une bourse permettant à toute la famille de s'installer dans la ville, et la très prestigieuse université de Harvard, qui lui offrait une place mais sans les mêmes conditions financières, lui payant les études mais sans poste universitaire. Pour Barack Obama père, qui a toujours voulu aller au bout de son potentiel – trait qu'il va transmettre à son fils –, il était difficile de résister aux sirènes de Harvard. Il a donc laissé sa jeune famille derrière lui à Hawaï. Le temps et la distance aidant, le divorce entre les parents d'Obama est devenu inévitable. À son retour au Kenya après Harvard, Obama y emmènera Ruth, une Américaine rencontrée à Boston, et qui allait lui donner trois fils.

Barack Obama fils a été très marqué par l'absence de son père. Il est probable que la recherche de ce père absent puisse être l'un des facteurs de son désir de plaire, et que l'impossibilité de retenir son père près de lui ait été l'une des sources de son attirance pour le pouvoir. L'influence de la figure de son père est comparable à celle du beau-père de Bill Clinton (Clinton n'a jamais connu son père, mort dans un accident de voiture trois mois avant sa naissance). Clinton a grandi près d'un beau-père alcoolique et susceptible d'exploser à tout moment, et a ainsi développé comme mécanisme de survie une capacité à plaire à tout un chacun et de se sortir des situations les plus difficiles. Les mêmes situations créent souvent chez les individus une réaction différente – Barack, bien que l'absence de son père ait été une blessure, a su transformer cette lacune en énergie par la seule force de sa volonté. Il a vécu une partie de sa vie en écorché vif, et a dû prendre le temps de plonger au fond de lui-même pour découvrir ce qui lui tenait à cœur, prendre ses distances par rapport à un passé toujours présent dans son esprit, et se construire en tant qu'individu. Difficile d'imaginer si au sein d'une famille plus conventionnelle Barack Obama aurait été le même individu – en tout cas, il a su trouver en lui la force de s'en sortir et de tourner en sa faveur des circonstances peu favorables.

La mère de Barack, se doutant du manque qu'allait laisser son père, s'est appliquée à forger chez le petit garçon une confiance en lui, qui irait toujours de pair avec sa vulnérabilité. « La confiance en soi est le secret du succès des hommes », lui disaient souvent ses grands-parents. Barack a bien retenu la leçon, et bien des années plus tard collègues et journalistes n'en finissent pas de relever un ego bien portant chez celui qui a tracé très tôt son chemin vers la candidature présidentielle.

En 1967, un autre événement attend le petit Barack : un déménagement en Indonésie. Après son divorce, sa mère avait rencontré un autre étudiant étranger à l'université de Hawaï, Lolo Soetoro, et avait décidé de le suivre en Indonésie. Ce voyage a ouvert au petit Barack un monde différent – de l'univers protégé de l'île de Hawaï, il était transposé au cœur d'un pays qui venait de se libérer du colonialisme. En 1965, la rébellion du général Suharto contre le gouvernement Sukarno, premier gouvernement après l'indépendance, avait fait entre cinq cent mille et un million de victimes, un contexte plutôt tendu pour le déménagement de la famille.

Les couleurs, les saveurs, une vie pleine d'aventures et la proximité des animaux – tout a impressionné le petit Barack à l'arrivée. « Je pouvais à peine croire à ma chance [1] », devait-il avouer par la suite. En effet, l'une des premières surprises de son beau-père a été de lui montrer un singe qui vivait à la maison, avec des canards, des poules, des perroquets et deux petits crocodiles. Barack se plaisait dans cet univers aussi ludique que naturel, même si sa mère essayait sans fin de le protéger de la violence qui en faisait partie. Une autre grande impression des premiers jours en Indonésie était de voir comment était tuée la poule que la famille allait manger au dîner : « Il faut qu'il sache d'où vient son repas », disait Lolo. Lolo promit de rapporter de la viande de tigre et devint un guide pour Barack, lui apprenant à manger le serpent, à ouvrir les boîtes, à se défendre à l'école et à se frayer un passage à travers la foule dans la rue indonésienne. En Indonésie, Barack sera marqué par la pauvreté et il sera toujours sensible au sort des démunis. Il tenait ce trait de sa mère, grande généreuse, et suivait son exemple en donnant volontiers ce qu'il avait épargné de petite monnaie aux mendiants. As-tu vu combien de mendiants il y a dans la rue? l'interpellait souvent Lolo. Et toi, combien d'argent as-tu? Alors? Tu ferais mieux de travailler et d'économiser pour ne pas terminer toi-même à la rue.

« Le monde était violent, écrirait plus tard Obama, imprévisible et souvent cruel. » Sa mère se méfiait des leçons sur la vie que son mari donnait à son fils; elle avait gardé de son enfance américaine un idéalisme dont elle ne voulait pas se départir. Remarquant vite que la famille manquait de moyens, elle ne tarda pas à trouver un travail, et s'employa à enseigner l'anglais à l'ambassade américaine à des hommes d'affaires indonésiens. Elle se trouvait pourtant tout aussi éloignée de ses compatriotes, qui ne se privaient pas de faire sur les coutumes locales des blagues de mauvais goût, que de son

1. Kerrily Sapet, *Barack Obama*, Morgan Reynolds Publishing, 2007, p. 19.

mari, souvent silencieux à la maison et peu enclin à partager ses soucis avec sa femme américaine. Elle devait apprendre par la suite la difficulté de sa position – sommé de rentrer en Indonésie par le gouvernement comme tous les étudiants à l'étranger, il ne savait pas s'il devait s'attendre à la prison ou si son pays allait lui accorder une chance. Ann avait du mal à comprendre toutes ces incertitudes, la dépendance totale d'un individu envers un gouvernement et se trouvait de plus en plus isolée dans le pays de son mari. La situation ne s'améliora pas quand Lolo trouva un travail dans une compagnie pétrolière, et que la famille emménagea dans un meilleur quartier – et que des jouets prirent la place du singe et des animaux domestiques dans la vie de Barack, ni même à la naissance de sa demi-sœur, Maya Soetoro.

Paradoxalement, la vie en Indonésie ramenait Ann aux valeurs traditionnelles du Midwest, tant décriées à l'époque dans son propre pays. Barack remarque souvent que, d'une manière inattendue, ces valeurs ont été plus présentes dans son éducation que s'il était resté dans son pays natal. Se retrouvant isolée et décalée par rapport à son environnement immédiat, Ann se faisait un point d'honneur d'inculquer à Barack la morale la plus élementaire, l'honnêteté, la justice, le respect de l'autre et l'indépendance d'esprit dans laquelle elle avait été élevée elle-même. Mentir était défendu, même si d'autres enfants à l'école le faisaient ; de même, taquiner un camarade qui était devenu le bouc émissaire de la classe était inacceptable. L'éloignement de son pays natal a donné à Ann la nostalgie des valeurs simples, mais considérées comme petites-bourgeoises, qu'elle avait pensé fuir en découvrant d'autres univers. Elle s'imposait aussi de réveiller son fils à 4 heures du matin pour des cours d'anglais et un programme plus rigoureux, qu'elle n'a pu trouver à l'école indonésienne. Une des écoles fréquentées par Barack, où la majorité des élèves étaient musulmans, devait par la suite être décrite comme une « madrasa » par bon nombre de journalistes, même si Barack dit toujours qu'elle était de tendance plutôt modérée.

Ann avait surtout du mal avec le peu de respect accordé à la vie humaine, avec le peu d'efforts pour la sauver ou l'améliorer. La limite fut atteinte le soir où le petit Barack rentra à la maison en saignant après un jeu un peu turbulent dans la cour de récréation. Se préparant à l'emmener à l'hôpital sur-le-champ, quel ne fut pas son étonnement quand son mari proposa d'attendre jusqu'au matin, prétendant qu'il était trop tard pour de tels déplacements. Arrivée à l'hôpital, où on pouvait entrer directement, sans enregistrement ni formalité d'aucune sorte qui auraient permis d'évaluer l'état de son fils, elle ne trouva dans l'hôpital presque vide que quelques hommes qui jouaient aux dominos, à qui elle demanda de lui indiquer comment trouver un médecin. À sa grande stupéfaction, ces hommes lui assurèrent qu'ils étaient médecins, mais qu'elle devrait attendre que la partie soit terminée pour qu'ils puissent s'occuper d'elle ! Les points de suture mis ce soir-là ont laissé sur la peau de Barack une cicatrice difficile à cacher, et dans l'âme de sa mère une amertume tenace.

C'est vraiment la goutte qui a fait déborder le vase. Ann avait déjà décidé que ses enfants auraient un avenir meilleur aux États-Unis.

Chapitre 2

Le retour aux États-Unis

Le retour dans son pays natal se déroula pour Obama sans grand choc. Il avait gardé de bons souvenirs des vacances chez ses grands-parents, avec les séances de dessins animés et les glaces à la plage ; il était simple de se laisser bercer par le rythme des fêtes familiales et la facilité de la société de consommation.

Ses grands-parents jouèrent un rôle énorme dans sa vie, à la fois parce qu'ils étaient autant voire plus présents dans son éducation que ses propres parents, et par l'exemple qu'ils lui ont donné d'une vie aisée, de classe moyenne, sans grands chamboulements mais aussi sans grand intérêt – vie qu'Obama lui-même allait se jurer d'éviter. L'affection dont il était entouré enfant était indéniable. Il appelait sa grand-mère « Toot », dérivé de « grand-mère » en swahili car à sa naissance elle s'était considérée trop jeune pour porter le nom de grand-mère, et son grand-père « Gramps », diminutif affectueux. Soldat durant la Seconde Guerre mondiale, il avait fait des études à l'université de Berkeley, mais « les salles de classe étaient trop petites pour contenir son ambition », comme le dit Obama. Il avait l'âme d'un grand voyageur et n'avait cessé de bouger à travers le pays avec sa famille avant de s'établir définitivement à Hawaï et devenir vendeur de contrats d'assurance. À l'affût des opportunités, il avait pensé qu'en allant le plus loin possible à l'Ouest il allait découvrir d'immenses possibilités. Toujours prêt à faire sa valise, il était un peu étonné que ses pérégrinations se soient terminées à Hawaï. Sa grand-mère était vice-présidente d'une banque commerciale, l'une des premières femmes de sa génération à faire carrière, malheureusement sans que cela la mène au-delà de ce poste. Barack a partagé sa peine de la voir piétiner, alors que ses collègues masculins étaient promus. Ce qui l'a toujours gêné dans les choix de ses grands-parents, c'est la résignation : accepter plutôt que changer les choses. Pleins de talents et de bonne volonté, ses grands-parents avaient choisi de se contenter de la place qu'ils avaient trouvée dans la vie. Comme le dit Obama : « Les ambitions qui les avaient amenés a Hawaï se sont peu à peu éteintes, et la régularité – de leur train de vie, de leurs occupations, et du temps – est restée leur principale consolation... C'est comme s'ils avaient évité les satisfactions qui viennent avec l'âge mûr, la convergence de la maturité avec le temps qui reste, le temps libre, la sérénité. À un certain moment pendant mon absence, ils avaient décidé de renoncer à leurs aspirations et de se contenter de simplement s'accrocher. Ils ne voyaient plus en quoi espérer [1]. »

L'appétit de leur fille Ann pour les cultures étrangères était sans doute une réaction de rebelle par rapport à cette vie bien rythmée, agréable mais sans remous, et Barack Obama en gardera toujours une peur bleue. C'était comme s'il avait peur de s'arrêter en chemin – en effet, amis et ennemis ont souvent noté son impatience dans la vie privée comme dans la vie publique –, trait qu'il partage avec sa femme, Michelle. À peine élu sénateur de l'Illinois, il se présente aux élections du Congrès, et puis à celles du Sénat fédéral. Nombre d'observateurs ont été étonnés par la rapidité avec laquelle il a choisi de se présenter à la présidentielle, ignorant le conseil de Hillary Clinton de gagner ses galons au Sénat d'abord. Cette impatience pourrait avoir ses racines dans cette peur de stagner, dans sa hantise de ne pas saisir l'occasion.

Pour Barack, la vie à Hawaï a vite pris l'allure d'une routine agréable ; il s'intéressait surtout au basket-ball et aux jeunes filles, comme tout adolescent ordinaire. Ses grands-parents le placèrent à Punahou, école d'élite où Barack a eu la possibilité d'étendre le champ de ses études. Punahou, située dans un cadre de rêve sur Oahu, la grande île de Hawaï, pas loin de Waikiki, représentait ce qu'il y avait de meilleur sur l'île. C'était l'endroit idéal pour que Barack s'intègre à la société américaine.

Intelligent, bon élève, il ne sortait pourtant pas des rangs. Ses professeurs remarquaient son potentiel mais aussi son manque d'application. « Il faisait attention, mais n'était pas ce que j'appellerais un étudiant intellectuel », se rappelle son professeur d'histoire. Ses amis

---

1. Barack Obama, *Dreams from My Father : A Story of Race and Inheritance*, Three Rivers Press, 2004, p. 57.

se souviennent pourtant de sa passion de la lecture et de son aisance en dissertation.

Rien ne semblait le distinguer de ses amis de classe. Furushima, une camarade, se souvient : « Il semblait vraiment relax à l'école. Il a dû s'intéresser à la politique plus tard parce que je n'en ai rien vu à l'école... sauf peut-être une fois » ; l'exception qui confirme la règle, et qui avait fait impression sur sa jeune camarade, était la lecture d'un poème sur un vieil homme solitaire sur un chemin perdu, qui décide d'affronter le monde.

Ses camarades se souviennent de sa passion pour le jazz, clin d'œil à sa fascination par la culture afro-américaine, alors que ses copains écoutaient plutôt du rock'n'roll.

Et pourtant, rentré dans son pays d'origine, il se sentait quand même différent. Il était l'un des deux seuls élèves noirs. Le temps passé en Indonésie, ses études dans une école musulmane, la connaissance de la loi de la rue à Djakarta, tout contribuait à le distinguer de ses camarades de classe, souvent privilégiés, et plus sereins dans leur vision d'un monde qui semblait sans problèmes.

Mais il y a avait un autre aspect qui faisait de Barack quelqu'un à part – il était ni complètement noir ni complètement blanc. Même dans l'univers multiculturel de Hawaï, où tous cohabitaient de manière paisible, Barack faisait figure de mouton à cinq pattes. Différent à la fois de ses camarades noirs et de ses camarades blancs, Barack n'avait pas d'autre choix que de se frayer son propre chemin : « J'ai appris à naviguer entre mon monde noir et mon monde blanc, et je me suis pris à espérer qu'avec un effort de ma part les deux allaient enfin devenir cohérents [1]. »

Le premier jour de classe a vite fait d'annoncer la couleur. Alors que la maîtresse, qui avait vécu en Afrique, demande de quelle tribu vient la famille de Barack, les autres enfants ricanent et imitent des cris d'animaux. L'aspect exotique du nom d'Obama, qui allait le poursuivre jusque dans sa carrière politique, ne faisait rien pour arranger l'affaire.

Une grande étape dans la construction de son identité a été la visite de son père, venu du Kenya pour être soigné dans un hôpital

1. Kerrily Sapet, *Barack Obama*, *op. cit.*, p. 35.

américain, après un accident de voiture. Barack était à la fois fasciné, imaginant son père en héros, d'une influence considérable sur le gouvernement, et en même temps très affecté par son absence. Attendue avec impatience, cette visite a rapidement révélé les différences entre père et fils. Le père ne se privait pas de critiquer les habitudes de son fils, son goût pour la télévision et jusqu'à ses manières à l'école. Pour Obama père, l'éducation avait été ce qui lui avait permis de sortir de la pauvreté, une chance à saisir ; il trouvait son fils bien tiède par rapport aux possibilités qui s'offraient à lui – études dans la meilleure école de Hawaï, entouré d'excellents professeurs et d'enfants motivés, choses pour lesquelles Obama père aurait tout donné. Le petit Barack, lui, le trouvait bien plus strict que sa mère ou ses grands-parents, peu réceptif aux jeux et à l'amusement, qui sont le fondement de la vie des enfants américains. Dur et sombre, son père n'était pas du genre à l'emmener à Disneyland.

Le moment le plus saisissant a été la visite de Barack Hussein Obama dans la classe de son fils. Son discours sur la jungle, les coutumes, la nature et les animaux de son Kenya natal a été un grand succès qui a beaucoup fait pour assurer la réputation du jeune Barack. Cela a marqué une étape importante pour Obama – malgré sa peur que son père le décrédibilise en face de ses copains d'école, il a tout à coup compris à quel point son héritage africain, et sa différence même, pouvaient être une source d'intérêt et d'enrichissement pour les autres : « Il parlait des animaux sauvages qui rôdent dans les plaines, des tribus qui demandent à un jeune garçon de tuer un lion pour prouver qu'il est un homme... Il parlait aussi de la lutte pour l'indépendance [1]. »

La jeunesse d'Obama a été marquée par une recherche identitaire – en effet, la question qui le consumait était comment être un jeune homme noir aux États-Unis. En l'absence de modèle paternel, Obama a essayé de trouver une réponse en s'entourant d'amis noirs. À sa surprise, il les a trouvés beaucoup plus radicaux que lui. Obama avoue, et c'est un trait qui est resté présent en lui jusqu'à aujourd'hui, qu'à chaque discours sur « les Blancs » il ne pouvait pas s'empêcher d'imaginer ses grands-parents et leur amour pour lui.

1. Barack Obama, *Dreams from My Father*, *op. cit.* p. 69-70.

Si ses amis s'empressaient d'accuser de racisme les filles qui ne voulaient pas sortir avec eux, Obama se méfiait de telles généralisations. Il a ainsi développé l'habitude de jouer les modérateurs dans son entourage, cherchant des explications non raciales, offrant des solutions là où d'autres ne voyaient que des problèmes sans fin.

Sa relation avec la part blanche de son identité, non moins conflictuelle, a été marquée par quelques incidents. Sa mère, soucieuse, comme on l'a vu, de préserver la confiance du petit garçon qui grandissait sans figure paternelle, lui parlait souvent de la culture noire, de ses leaders et de ses succès. Elle présentait la communauté noire comme une culture forte et fière, dont les héritiers devaient s'enorgueillir et dont il fallait se montrer digne. Quelle ne fut la surprise du petit Barack de découvrir au hasard d'un journal l'histoire d'un homme noir prêt à se mutiler pour faire blanchir sa peau. Comment expliquer, dès lors, que les héritiers de cette race forte et fière choisissent de la renier ? Barack commençait à douter des paroles positives de sa mère : « J'ai commencé à me rendre compte qu'il n'y avait personne comme moi dans le catalogue de Noël de Sears & Roebuck [1], et que le Père Noël était blanc... Je faisais toujours confiance à l'amour de ma mère – mais maintenant je devais faire face à la possibilité que l'image du monde qu'elle m'avait donnée, et de la place qu'y tenait mon père, était quelque peu incomplète [2]... »

Un autre incident est lié à la peur qu'eut sa grand-mère quand un homme noir s'approcha d'elle à un arrêt de bus. Comment était-ce possible qu'un homme qui aurait pu être son frère provoque chez elle, d'habitude aussi douce et aimante, une peur aussi primaire ?

Ce qui a le plus marqué Barack à cette époque est le sentiment d'une identité divisée, deux mondes dont il faisait partie mais qui semblaient inconciliables. Comme Barack l'a avoué dans un entretien avec Oprah Winfrey : « Il y avait un tiraillement... ce que j'étais dans l'intimité et ce que j'étais à l'extérieur... et je crois que je voulais réconcilier ces deux choses-là ; comprendre que je peux être noir, fier de cet héritage, fier de cette culture, faisant partie de cette communauté, mais ne pas me limiter à cela [3]... »

---

1. Grande chaîne de magasins aux États-Unis (N.d.E.).
2. Barack Obama, *Dreams from My Father*, *op. cit.*, p. 52.
3. *Ibid.*, p. 242.

C'est à cette époque que Barack a commencé à explorer le monde de la drogue. Contrairement à Bill Clinton, il n'a fait aucun effort pour cacher ses péchés de jeunesse, déclarant dans une émission de télévision : « J'inhalais – c'était l'idée » (Bill Clinton avait fameusement déclaré qu'il « avait fumé, mais n'avait pas inhalé »).

Ce n'est que bien plus tard que Barack allait reconnaître qu'il s'était égaré dans sa quête de l'identité noire. L'idée qu'il s'en faisait n'était qu'un cliché. Cette tension intérieure – trouver ses racines, au mépris de l'individu – allait marquer sa réflexion sur la négritude en général.

La fracture identitaire, la toxicomanie, c'est comme si Obama devait toucher le fond pour éprouver ce que vivaient d'autres jeunes Noirs. Dans son cas, seulement, il s'agissait de choix, comme s'il avait besoin de prendre sur soi ces souffrances pour se sentir pleinement noir : « Je vivais une caricature de l'adolescence noire, elle-même caricature l'identité masculine américaine, pleine de forfanterie... Au moins sur le terrain de basket-ball, je pouvais trouver une sorte de communauté, avec une vie intérieure propre. C'est là que j'amenais mes amis blancs les plus proches, sur un territoire où être noir n'était pas un désavantage [1]. »

Ainsi, Barack devait définir son identité noire par rapport à sa famille et ses amis blancs ; de même qu'être blanc impliquait presque une culpabilité par rapport à la souffrance de la communauté noire – ce que Barack devait toucher du doigt pour sentir son appartenance. Mais cette blessure d'adolescent avait fini par n'être qu'une caricature de la souffrance véritable. Alors qu'il avait fait le choix de la subir, il devait aussi s'y soustraire par un effort de volonté.

Moins en colère que ses copains noirs, et libéré de la peur qu'ils inspiraient aux Blancs, Obama devait trouver ses propres réponses.

Son enfance, même avec ses particularités, est, par un grand nombre d'aspects, symbolique de ce qu'a pu vivre une nouvelle génération d'Américains. Dans son discours à la convention démocrate de 2004 [2], Obama dira que dans aucun autre pays au monde n'était possible son histoire. Au-delà du mélange de couleurs et de cultures que représentent les États-Unis, l'histoire d'Obama est symptomatique d'une nouvelle génération et d'une nouvelle ère. À

---

1. *Ibid.*, p. 79.
2. Discours reproduit en annexe, p. 167-171 (N.d.E.).

une époque où bon nombre de certitudes sur lesquelles a été bâtie l'Amérique se sont révélées élusives, c'est toute une génération qui a dû passer par un conflit identitaire souvent similaire à celui de Barack Obama. Ni traditionaliste comme ses grands-parents ni rebelle comme ses parents les baby-boomers, la nouvelle génération a dû trouver ses propres repères, souvent hérités de mondes différents, créant une « identité patchwork » plutôt que cette conscience politique clairement structurée des générations passées. Ses choix politiques sont souvent le fruit de choix personnels plutôt que de traditions familiales ou de principes d'éducation. Son identité est souvent basée sur la résolution de conflits entre des « sous-identités » séparées, où les sensibilités qui semblaient être opposées peuvent soudain aller de pair, comme être écologiste et appartenir au Parti républicain (Newton Gingrich s'est révélé être un défenseur de cette juxtaposition improbable), ou encore jeune chrétien du Parti démocrate. Barack Obama deviendra la figure de proue de cette nouvelle génération politique, qui refuse les dilemmes sans nuances, mais cultive le compromis et le pragmatisme. Une génération qui obtiendra vite l'étiquette de « génération O ».

CHAPITRE 3

Les années de formation

« C'est seulement un manque d'imagination, un manque d'audace qui m'ont fait penser que je devais choisir entre mes deux identités [1]. »

Barack Obama

Les années universitaires allaient fournir à Barack l'occasion de continuer sa quête identitaire. L'université dans laquelle il commença ses études, Occidental College, université sans grand renom, a été choisie un peu par hasard – il avait rencontré une jeune fille sur la plage de Hawaï qui y étudiait. Leur relation se révéla de courte durée, mais le déménagement « sur le continent » était pour Barack une occasion rêvée de découvrir de nouveaux horizons.

La beauté sereine de son île natale avait joué dans sa vie un rôle ambigu. D'un côté, les observateurs s'étonnent du calme impassible d'Obama, de son attitude légèrement dégagée. Rien ne saurait déranger cet équilibre hérité de son enfance, conséquence d'une enfance sur une île à la beauté légendaire, entouré d'une famille aimante, qui lui permet d'affronter avec aplomb les turpitudes de la vie politique. D'un autre côté, Hawaï était très éloignée du continent, non seulement géographiquement, mais aussi culturellement – les idées nouvelles mettaient du temps à arriver, et encore plus à secouer le train-train quotidien des Hawaïens. Au sortir de son enfance, Barack avait soif de nouvelles idées et de perspectives différentes. Los Angeles, où était situé Occidental College, pouvait offrir tout cela.

1. Kerrily Sapet, *Barack Obama*, *op. cit.*, p. 30.

Après des années où il fut le seul enfant noir de la classe (ou l'un des deux enfants noirs dans le meilleur des cas), Barack a pris le soin de s'entourer d'autres étudiants noirs avec qui il pouvait échanger des idées sur la crise d'identité, la position et l'avenir des Noirs en Amérique. Élevé dans un environnement essentiellement blanc et par une famille blanche, c'est volontairement que Barack Obama a décidé de trouver ses racines et ses repères dans l'identité noire. Être entouré d'autres Noirs lui semblait un luxe, dans la mesure où il espérait se sentir compris comme il ne l'avait jamais été auparavant.

De plus, après l'univers bourgeois dans lequel il vivait à Hawaï, il savourait le brassage qu'offraient les universités américaines de l'époque – étudiants étrangers, professeurs marxistes, postféministes, poètes punk-rock, et autres alternatifs. Mettre la stéréo à fond dans leurs chambres semblait être un acte de révolte antibourgeoise. Pourtant, il n'était pas plus facile d'être un jeune Noir dans cet environnement que dans le cocon familial de Hawaï.

Le choix de son prénom est devenu symptomatique de cette recherche identitaire. Jusqu'alors, il se faisait toujours appeler Barry, prénom anglicisé choisi par son père pour mieux s'intégrer aux États-Unis à l'époque de son arrivée. Expliquant les sens de son vrai prénom à une étudiante rencontrée sur le campus, Barack fut étonné de sa réaction. « C'est joli, a-t-il entendu. Est-ce que je peux t'appeler Barack ? » Et c'est ainsi que Barry est devenu Barack.

C'est dans ce contexte qu'il a commencé à découvrir sa voix. Faisant partie d'une manifestation contre l'apartheid, il était chargé de faire un discours sur scène, qu'interrompraient quelques amis déguisés en paramilitaires qui devaient l'emmener – métaphore du silence imposé aux Noirs. Obama se souvient de la facilité avec laquelle il a pu jouer son rôle – se débattre et protester, car il avait réellement envie de rester à la tribune... Il avait pris goût à la parole en présence d'un large auditoire, qui semblait l'écouter le souffle coupé. C'est ainsi qu'il a commencé à développer ses talents d'orateur, fort remarqués, et à croire au pouvoir des mots – des mots qui changent les attitudes et influencent les comportements.

Mais Los Angeles et la côte ouest paraissaient trop « faciles » – trop superficiels, trop proches de Hawaï. À l'annonce d'un programme d'échange avec l'université de Columbia, à New York, il n'a pas hésité. New York l'attirait non seulement comme centre de nouvelles idées, mais aussi comme ville de mélange de cultures, en particulier Columbia qui se situe au centre du quartier noir de Harlem. Un groupe d'amis noirs n'était pas suffisant – Barack avait envie d'une vraie communauté noire comme il ne l'avait jamais connue, d'une vie de quartier.

À l'arrivée, il a vite déchanté. Il prenait la pauvreté qui entourait l'université comme un affront personnel à sa race. Columbia, l'une des grandes universités américaines (faisant partie du groupe des universités de l'Ivy League, les meilleures du pays), était une enclave d'architecture néoclassique située au cœur du quartier pauvre de Harlem. Les proportions et la symétrie du campus, élaborées pour exprimer le pouvoir du beau, du bon et du vrai, respirant les idées des Lumières, étaient en contraste flagrant avec le monde extérieur, comme si les idées apprises sur les bancs de l'université devaient à son contact être mises à l'épreuve. La différence était tellement forte qu'il était difficile de ne pas mettre en doute l'idéalisme des Lumières et la possibilité de l'éducation à améliorer le monde, puisque ce projet semblait s'être arrêté net aux portes de l'université.

Harlem, centre de la vie noire de New York, était rempli de vieilles demeures seigneuriales qui avaient été jadis des maisons de campagne à l'extérieur de New York. Quartier d'abord italien, il est devenu le site de plusieurs églises noires remarquables par leur influence et leur capacité à rassembler la communauté noire. Peu à peu, le quartier est devenu entièrement noir, et un lieu mythique du jazz et des boîtes de nuit des années vingt. Après la Grande Dépression, Harlem avait perdu son lustre d'antan et les grandes maisons étaient tombées en désuétude. Le contraste entre leur architecture élaborée, leurs balustrades sinueuses... et la vie qui régnait autour était presque insoutenable. Barack découvrait la réalité de cette communauté noire dont il avait tant rêvé.

Pourtant, une autre vie s'ouvrait à lui. Ses activités, les choix de carrières qui se présentaient le mèneraient loin de Harlem. Sa vie serait sans doute intéressante sur le plan intellectuel et financier; axée sur le travail et les divertissements. Mais sans rapport avec cette communauté dans laquelle il voulait s'enraciner. Peut-être finirait-il par ne plus prendre le métro après une certaine heure et par vivre dans un immeuble impeccable, peut-être même avec un gardien noir ?

Barack n'était pas tenté. Il avait trop ressenti sa différence pour l'oublier ; il n'en savait pas encore assez pour la dépasser. Il s'est plongé dans la littérature noire et les biographies des leaders noirs ; ce fut un temps d'introspection et de recherche. Il menait une vie quasi monacale dans son petit studio près de l'université, avec seulement deux serviettes et trois assiettes, ce qui avait horrifié sa mère et sa demi-sœur lors d'une visite à New York. Tu es devenu un peu maigrichon, se plaignaient-elles. Le garçon mince aux grandes oreilles avait fait du chemin.

Rien ne le choquait autant que les clichés culturels. Lors de sa visite, sa mère avait proposé de voir *Orfeu Negro* (Orphée noir), magnifique film franco-brésilien des années cinquante, qui transpose l'histoire d'Orphée dans les favelas lors du carnaval de Rio. En voyant ce portrait de la culture brésilienne noire en Technicolor, plein de grâce et de légèreté, Barack ressentit un malaise quasi physique, tellement cette image d'Épinal était loin de la réalité. Soudain, il voyait le désir de sa mère d'échapper aux conventions de sa propre enfance, et son idéalisation de la culture noire lui parut évidente.

De plus, il ne semblait pas encore connaître sa propre famille. Une visite de sa demi-sœur africaine, Auma, avait été annulée suite à la mort de son demi-frère dans un accident de moto. Professionnellement, Barack s'ennuyait de plus en plus – il avait accepté un poste d'analyste financier afin de payer les emprunts faits pendant ses études. Son travail ne le menait à rien et était de plus en plus contraire à ses aspirations.

Si Barack n'admettait ni la vision romantique de la « négritude » ni la pauvreté réelle qui semblait souvent aller de pair avec elle, et même si son sentiment identitaire était encore flou, il allait au moins tenter de trouver une solution. C'était une manière de participer à cette vie qui l'attirait, tout en prenant un peu de recul – un moyen de s'y intéresser tout en voulant changer la donne. L'engagement fut pour lui une forme de rédemption, une manière d'apporter un peu d'espoir aux Noirs, et à lui-même, comme si ses origines blanches étaient un péché qu'il devait expier.

Le déclic se produisit en 1982 quand il apprit que son père était mort au Kenya, dans un accident de voiture. Désormais, il lui serait impossible de le connaître mieux, et il devrait chercher d'autres clés pour mieux comprendre d'où il venait. Barack prit la décision de démissionner et de devenir animateur social.

Chapitre 4

La recherche de l'enracinement

Après six mois de recherche de poste, au chômage et complètement désargenté, Obama se nourrissait de soupes préfabriquées pour économiser un peu d'argent. Il était prêt à abandonner tout espoir. C'est alors qu'une possibilité s'est présentée à Chicago, ville qui avait la réputation d'être la plus ségrégationniste des États-Unis. Pendant deux ans, il allait travailler avec Jerry Kellman au Projet des communautés en développement, dans les quartiers sud de Chicago, le South Side, l'un des quartiers les plus pauvres de la ville, où bon nombre de familles qui avaient été frappées par la fermeture des usines se battaient pour ne pas qu'on leur coupe l'électricité.

Quelques surprises l'attendaient. D'abord, il était frappant de voir à quel point la communauté noire était divisée. À l'époque la politique de la ville était dominée par Harold Washington, maire très populaire, et pourtant de nombreuses voix l'accusaient de ne pas donner suffisamment de postes aux Noirs. Par ailleurs, les débats sur le nationalisme et les discussions autour de Malcolm X, incarnant le discours de la communauté noire dans une société « blanche », faisaient rage. C'est là qu'Obama a connu le nationalisme noir : « Il s'agit de sang, Barack, prendre soin des siens. Un point c'est tout », comme le lui disait un ami de l'époque. Cette idéologie semblait contraire à la morale de sa mère, qui lui avait enseigné à ne se soucier que des personnes indépendamment de la couleur de leur peau. Ces polémiques ont conduit Obama à redéfinir sa position. L'identité qu'il a pu se forger n'était plus « imitée », comme pendant ses années hawaïennes, ni même « héritées », mais bien créée par ses propres batailles intérieures. Ce n'était plus simplement la couleur de la peau ni même l'histoire collective qui pouvaient faire l'identité, mais bien l'expérience personnelle, avec ses contradictions et ses errances. L'identité se créait mais ne se transmettait pas.

En outre, Obama a connu les coulisses du pouvoir politique à Chicago – notamment celui des églises : vu le manque de structures pour la communauté noire de la ville, le meilleur moyen de toucher les gens était de passer par les congrégations. L'église restait la base de la communauté noire, autour de laquelle gravitait la vie sociale et l'engagement politique. Ce n'est pas par hasard que Martin Luther King était pasteur. Unir les églises était pourtant une tâche ingrate. Obama était souvent accusé – et cela le suivra tout au long de sa carrière politique – d'être un instrument aux mains des Blancs. Pourtant, plaisantait-il, les chauffeurs de taxis qui lui préféraient un client blanc ne semblaient pas avoir de doute sur sa race. Obama a toujours dit que ces accusations émanaient de la classe politique noire, alors que sur le terrain la question ne se posait même pas. Quand il se promenait dans les quartiers noirs et allait chez son coiffeur ou jouait au basket-ball, personne ne semblait lui reprocher ses origines blanches.

L'accueil de la communauté a été au départ froid pour ne pas dire hostile; son enthousiasme lui a vite gagné le surnom de « Baby Face », faisant vingt à trente entretiens par semaine avec des membres de la communauté, déterminé à leur faire comprendre qu'il était là pour faire un travail sérieux. Son approche était inspirée par Saul Alinsky, un sociologue de la première partie du XXe siècle. Né à Chicago en 1909, Alinsky militait pour de meilleures conditions de travail dans les quartiers ouvriers de Chicago. Sa philosophie était fondée sur l'écoute – l'importance de se rapprocher des habitants pour comprendre leurs soucis de manière plus précise et mieux répondre à leurs attentes. Son succès venait non seulement d'actions de protestation bien connues des ouvriers, mais aussi de ses efforts pour leur donner le sentiment qu'ils étaient maîtres de leur propre destin et qu'ils pouvaient eux-mêmes le changer, à la fois par le militantisme et par des choix personnels.

L'une des priorités d'Obama était la communauté d'Altgeld Gardens, des HLM dans le sud de Chicago. S'intéressant aux conditions sanitaires, il organise un projet de désamiantage, et affrète autour de 1985 un bus pour amener les habitants d'Altgeld à un rendez-vous au bureau des logements sociaux, pour savoir s'il y a ou non de l'amiante dans les immeubles. Parallèlement, il avait averti la presse, frappant un grand coup : la présence d'amiante est reconnue face aux caméras et des promesses sont faites pour améliorer la situation. Cette victoire fut grisante pour Obama – il a vu que l'on pouvait agir et savourer l'effet de ses actions. C'est pour retrouver ce sentiment qu'il va prendre la décision de s'impliquer encore davantage dans la vie publique : « J'ai changé à la suite de ce voyage en bus... C'est ce genre de changement qui est important, non pas parce qu'il bouleverse des situations concrètes d'une manière ou d'une autre... mais parce qu'il indique que l'on peut faire des choses et incite, au-delà de l'exaltation du moment, au-delà de déceptions ultérieures, à rechercher ce sentiment que l'on a brièvement éprouvé. Ce voyage en bus m'a donné, et me donne encore, la force de continuer [1]. »

À Chicago, Obama a enfin pu connaître la réalité de la vie des communautés noires. Choqué par la pauvreté, qui lui rappelait ce qu'il avait vécu en Indonésie, il était aussi subjugué de trouver autant de chaleur, de volonté de se battre, et de spiritualité : « Il y avait aussi de la poésie – un monde lumineux toujours présent en dessous de la surface, un monde que d'autres pourraient m'offrir comme un cadeau, si seulement je pensais à le leur demander [2]... »

C'était un monde de contrastes – chaque once de chaleur humaine avait d'autant plus de valeur au milieu du désespoir, poésie urbaine cachée au beau milieu de la violence. Obama avait enfin l'impression de s'être jeté au cœur de la vie, avec ses joies et ses drames, et non plus de vivre dans une paix un peu factice comme pendant ses années à Hawaï. « C'est dans ces quartiers que j'ai reçu ma meilleure éducation », avouera-t-il plus tard.

Élevé dans un foyer agnostique pour ne pas dire athée, il a commencé à fréquenter les églises par obligation professionnelle, et s'est senti de plus en plus intrigué. En plus de l'aspect spirituel, qui au début ne l'intéressait pas beaucoup, marqué qu'il était par son éducation non religieuse, il voyait d'abord dans l'église, et l'église noire en particulier, un acteur culturel structurant pour la communauté. Discutant avec un pasteur noir de son idée d'unifier les églises pour améliorer la vie des quartiers et se battre pour eux au point de vue législatif, il fut étonné de sa question : « Et vous, d'où vient

---

1. Barack Obama, *Dreams from My Father*, *op. cit.*, p. 190-191.
2. *Ibid.*, p. 242.

votre foi ? » S'il voulait demander aux pasteurs et congrégations, jaloux de leur indépendance, de changer d'attitude, il devait leur répondre ; tous devaient connaître ses motivations. Lui qui n'avait jamais manqué de confiance en soi, il découvrait un monde nouveau, rencontraient des pasteurs intelligents, industrieux dans leurs tâches souvent ingrates, et surtout d'une grande sérénité.

Il se rendait compte que la spiritualité était une part prépondérante de la vie des quartiers noirs de Chicago ; être athée était ici un facteur d'isolement : « J'ai réalisé que sans appartenir à une communauté de croyance particulière, je serais toujours condamné à rester à part, libre comme ma mère l'avait été, mais comme elle totalement seul [1]. »

De plus, Obama s'est trouvé des objectifs communs avec le christianisme : la volonté de servir, la compassion, l'amour qui n'exclut personne. Le révérend Jeremiah A. Wright, pasteur de la paroisse de l'église du Christ de la Trinité Unie, l'une des nombreuses branches protestantes de l'Église américaine, se souvient de leurs discussions. Obama n'était pas sans lui rappeler Joseph, traité de rêveur par ses frères. De même, le pasteur avoue que sa première réaction quand il l'entendit fut : « Arrête-toi, rêveur. » Il se rappela l'étonnement du jeune travailleur social devant le cynisme des prêtres. Il rit encore du découragement qu'il a pu provoquer chez celui qui pensait unifier toutes les églises de Chicago, régies par des pasteurs aux sensibilités différentes. L'étiquette de rêveur poursuivra d'ailleurs Obama dans la campagne électorale, où sa propension au rêve s'opposera au pragmatisme clintonien.

Le révérend Wright fait partie de la tradition des pasteurs noirs militants ; ses sermons ressemblent souvent à des discours politiques. L'église de la Trinité à laquelle appartient Obama s'est attirée bon nombre de critiques pour son afrocentrisme ; Barack voulait à dessein s'enraciner le plus possible dans la communauté noire, y compris dans sa spiritualité. La devise de l'église est : « Noir sans honte et chrétien sans excuses. » Pour Obama, ce qui comptait était une approche intellectuelle de la foi : c'était important pour lui de pouvoir parler de ses doutes, poser ses questions philosophiques à

---

1. Barack Obama, *The Audacity of Hope : Thoughts on Reclaiming the American Dream*, Crown Publishers, 2006.

son pasteur et d'en débattre ouvertement. L'autre aspect qui l'a attiré dans cette communauté était son ouverture : c'est une des rares églises noires dont les homosexuels ne sont pas exclus et invités ouvertement à devenir membres. C'est donc bien une foi moderne, plus cérébrale mais aussi plus libre, qu'incarne la communauté spirituelle d'Obama.

Son travail est vite devenu sa vie. Après des réunions avec les habitants des quartiers qu'il essayait de mobiliser, il restait souvent pour partager une bière avec eux, dansant à des soirées ou des réunions familiales où tous les âges se mélangeaient, ou bien se perdait en promenades solitaires. Ses supérieurs avaient peur qu'il se fatigue et lui conseillaient de prendre plus de temps pour lui, de se créer un cercle d'amis, de faire autre chose.

Pourtant, ce qui tourmentait le plus Obama était ce sentiment lancinant de se cogner la tête contre les murs. Alors qu'il s'était engagé dans une carrière d'animateur social par pur idéalisme et envie de servir – par désir de rédemption personnelle aussi –, il avait de plus en plus l'impression que ses efforts n'étaient qu'une goutte d'eau dans le désert. On pourrait déborder d'efforts et d'initiatives, le changement resterait quand même insuffisant, et les habitudes, la tristesse resteraient les mêmes dans ces quartiers. Deux aspects étaient troublants : d'abord, sa mère lui avait appris à croire en lui-même et en ses capacités. Que ce soit sur un terrain de basket-ball, dans les halls de l'université, dans les cafés enfumés où les débats faisaient rage ou sur une piste de danse entouré de jolies étudiantes (qu'il savait apprécier), il avait toujours su sortir gagnant. Ensuite, l'un de ses actes formateurs avait été de mesurer l'effet de ses paroles sur les autres. Et, à présent, il semblait ne pas arriver à faire avancer les choses autant qu'il le voulait. Non seulement il n'avait pas l'habitude que ses efforts ne payent pas, mais il était sidéré par l'inertie qui régnait autour de lui. Obama, toujours poussé à croire en lui, ne pouvait rien faire. Après des réunions qui duraient tard le soir, les habitants de ces quartiers rentraient dans leurs logements toujours amiantés. La peinture de plomb décorait toujours les chambres de bébés. Même ses conseils aux jeunes pour les encourager à faire des études supérieures semblaient avoir peu de retentissement.

D'abord piqué au vif, Obama fut encore plus effrayé quand il sentit une sorte de torpeur le gagner. La révolution sociale devenait une routine. La somnolence des quartiers semblait le gagner. Était-ce ce dont il avait rêvé ?

Il ne voulait pas jeter l'éponge et s'appliqua à trouver d'autres moyens pour ses idées. Il avait été impressionné par l'effet que le maire noir, Harold Washington, avait eu sur la ville. Adoptant des mesures importantes pour la communauté noire, avec une équipe multiraciale, il avait redonné de l'espoir en un clin d'œil. Six mois d'investiture avaient eu plus d'effet que des années de travail sur le terrain, des années que Barack voyait déjà s'écouler avec désespoir. Le fantôme de ses grands-parents et de leur résignation était sa hantise : allait-il devenir comme eux ?

Un changement de cap était nécessaire. Pour entrer en politique, Obama aurait besoin d'un diplôme de droit. L'époque de Chicago lui avait clairement démontré qu'il pouvait en faire plus – à la fois en se jetant dans les allées du pouvoir pour faire bouger les choses plus rapidement qu'en restant sur le terrain, et en mettant au service de ceux qui en avaient besoin sa connaissance des lois et du système pénal. Déterminé à obtenir un diplôme de droit pour mieux défendre les démunis de Chicago, il avait postulé à Harvard, Yale et Stanford. Admis dans plusieurs universités, il décida d'aller à Harvard, comme son père. Avant d'y rentrer, pourtant, il voulait faire un voyage initiatique en Afrique pour mieux comprendre ses racines.

Une visite de sa demi-sœur africaine, Auma, l'y avait préparé. Elle lui avait parlé de leur vie difficile en Afrique, du racisme qu'elle avait connu pendant ses études en Allemagne, et surtout du caractère et du destin de son père. Après être rentré en Afrique, Barack Hussein Obama avait travaillé pendant quelque temps pour une compagnie pétrolière. Après l'indépendance du Kenya, en 1963, ses relations au gouvernement lui avaient permis d'obtenir un poste au ministère du Tourisme. Pendant l'ère du président Jomo Kenyatta, quand la tribu des Kikuyu était privilégiée par rapport à sa tribu des Luo, il avait perdu son poste et vécu pendant des années dans la pauvreté, trouvant à peine de quoi nourrir sa grande famille, sombrant dans l'alcoolisme et se rappelant ses années pleines de promesse aux États-Unis. Il avait pu retrouver un poste au ministère des Finances, peu avant l'accident tragique qui l'emporta en 1982. Barack voyait enfin l'homme, avec ses lacunes et ses échecs, différent de celui qu'il s'était imaginé comme un héros : « C'est comme si mon monde s'était retourné, comme si je m'étais réveillé en voyant un soleil bleu dans un ciel jaune [...]. Toute ma vie j'avais eu en moi une image singulière de mon père [...]. Un scientifique brillant, un ami généreux, un leader inspiré – mon père avait été toutes ces choses à la fois. Tout cela et davantage [...]. Comme j'étais assis sous la lumière d'une ampoule... l'image de mon père avait disparu. Remplacée... par quoi ? Celle d'un ivrogne amer ? un mari abusif ? un bureaucrate vaincu et solitaire ? Dire que toute ma vie je n'avais poursuivi qu'un fantôme ! »

Il se sentait à la fois lésé dans ses rêves et étrangement libéré. C'était comme s'il avait échappé à l'ombre de son père, libre de créer son propre destin plutôt que de devoir poursuivre le chemin paternel : « Je peux faire ce que je veux. Car quel homme, sinon mon père, a le droit de me dire quelque chose ? Quoi que je fasse, je ne finirai pas comme lui. »

L'absence de son père avait créé un manque que Barack pouvait difficilement combler ; paradoxalement, mieux le connaître pourrait lui permettre de dépasser ce trop-plein d'émotions. La quête du père s'est transformée en celle d'une communauté. Il ne voulait pas mener la vie d'un Blanc, ce à quoi pourtant le destinait son éducation. Il devait aller à Harvard comme son père. Même dans son attitude envers les femmes, Obama se prenait à l'imiter inconsciemment, avec son assurance et son art de raconter les histoires. Il allait, plus tard, écrire un livre sur ce père tant idéalisé (d'ailleurs, à la mort de sa mère, il regrettera ouvertement de lui avoir consacré autant d'efforts, plutôt qu'à celle dont la présence avait été sans faille). Pour l'instant, un nouveau champ s'ouvrait à lui – au lieu des fantasmes sur son père, la vie l'attendait.

Pourtant, rien n'avait préparé Barack à sa visite en Afrique. Tout était différent de ce qu'il avait imaginé. La rue était plus colorée, les odeurs d'épices plus fortes, sa famille plus chaleureuse. Il était reconnu partout comme le fils de feu Dr Barack Hussein Obama. Après Nairobi, le grand moment du voyage a été la visite de la ferme familiale où Barack s'est recueilli sur la tombe de son père. C'est là qu'il a pu trouver la paix qui lui permettait de préserver sa quête identitaire : « J'ai vu que ma vie aux États-Unis – le mode de vie noir, le mode de vie blanc, l'abandon que j'avais ressenti quand j'étais petit garçon, la frustration et l'espoir que j'ai pu voir à

Chicago, que tout cela était lié à cette petite parcelle de terre par-delà l'océan, par bien plus qu'un nom de famille ou une couleur de peau. La douleur que je ressentais était la douleur de mon père. Mes questions étaient aussi les questions de mon frère. Leur lutte, mon droit de naissance [1]. »

La suite du voyage africain, l'entrée à Harvard s'est faite sans remous. Après des années d'introspection, sa maturité frappa tout de suite ses camarades : « On avait l'impression qu'il était plus âgé qu'il ne l'était réellement, confie l'un de ses camarades de classe. On le percevait comme un gars noir avec un accent du Midwest. Mais il semblait connaître le monde à la différence de beaucoup d'entre nous. Il parlait bien, de manière concise, avec sagesse et ouverture d'esprit [2]. »

Très vite, Obama est devenu un phénomène sur le campus. Il était fasciné par le système pénal du pays, et l'idée de l'égalité de tous devant la loi fondamentale qui, malgré ses imperfections, prouvait que l'être humain avait un besoin essentiel de justice. Selon Kant, le fait que l'on cache nos mauvaises actions et que l'on loue les bonnes est une preuve que nous savons faire la différence entre bien et mal. De même, la création d'un système judiciaire, même avec ses lacunes, prouvait qu'il y avait une profonde distinction entre justice et injustice.

Ses excellentes notes, son charme naturel, sa présence d'esprit dans les débats ont attiré beaucoup l'attention, notamment de la part de la très prestigieuse *Harvard Law Review*, l'une des publications de droit les plus renommées du pays. Éditée par des étudiants de la faculté de droit de l'université de Harvard, la revue mensuelle compte en moyenne deux mille pages par volume et est distribuée à huit mille exemplaires, à des avocats, des juges, des professeurs de droit... Les étudiants étaient invités à y exprimer leurs avis sur les grands sujets légaux du moment, privilège accordé à ceux-là seuls qui avaient une brillante carrière académique. La progression de Barack y fut fulgurante – de collaborateur à directeur de la *Harvard Law Review*, poste fort convoité et qui ouvrait les portes des plus grands cabinets d'avocats. Chaque année, une dizaine de candidats se présentaient mais, jusqu'en 1991, l'année de l'élection d'Obama,

---

1. Barack Obama, *Dreams from My Father*, *op. cit.*, p. 430.
2. Kerrily Sapet, *Barack Obama*, *op. cit.*, p. 70.

jamais un étudiant noir n'avait atteint ce poste. Paradoxalement, son élection se fit grâce à des étudiants de droite – cela était dû à sa capacité à travailler avec ses adversaires. Selon l'un de ses camarades de classe : « Barack ne cachait pas le fait qu'il était de gauche, mais il ne donnait pas l'impression d'être partisan... Nous avions le sentiment, basé sur l'expérience de sa présidence [de la *Harvard Law Review*], qu'il s'intéressait à ce que les conservateurs avaient à dire... et qu'il écouterait leurs idées avec respect [1]. »

La grande force d'Obama a toujours été d'être fédérateur – de pouvoir écouter et de donner l'impression de comprendre ses adversaires. On a vite compris qu'il n'était pas un idéologue. Les critiques fusaient de la part des étudiants de gauche, Obama privilégiait la qualité plutôt que l'appartenance politique. On voit dans cette histoire les traits essentiels du futur homme politique : une position modérée qui s'attire les soutiens des deux bords, une capacité à collaborer avec ses opposants politiques, et l'animosité de son propre camp, la gauche et la communauté noire, qui lui reprochent toujours de ne pas s'investir suffisamment pour elles, ne pas donner assez de postes à ses alliés, etc.

Il a donc développé très tôt un sens du compromis et de l'alliance, quitte à ce qu'on lui reproche son manque de loyauté – qualités très utiles à sa campagne présidentielle où il s'agit aussi de convaincre des conservateurs de voter pour lui.

Une autre énorme étape de la vie de Barack Obama fut la rencontre de Michelle Robinson pendant son stage d'été à Chicago, en 1990, dans le cabinet d'avocats Sidley & Austin. Barack était ravi de rentrer à Chicago, jeune avocat, il découvrait la ville sous de tous autres aspects.

Il a rencontré Michelle par une matinée de juin grise et pluvieuse. Grande et élancée, elle avait tout de suite attiré le regard d'Obama. La situation était d'autant plus délicate qu'ils étaient les seuls avocats noirs du cabinet, et Michelle avait le rôle de mentor auprès du jeune stagiaire de Harvard. Elle s'est donc longtemps refusée à envisager autre chose que des rapports professionnels. Elle avait fait des études brillantes, à Princeton où elle avait suivi son frère, excellent

---

1. David Mendell, *Obama : From Promise to Power*, Amistad Press, 2007, p. 90.

basketteur, puis à la Harvard Law School. Bien qu'elle fut plus jeune qu'Obama, elle travaillait dans un cabinet d'avocats depuis déjà plusieurs années. Barack fut attiré par la similitude de leurs parcours – comme lui, Michelle avait fait le choix de ne pas considérer la couleur de sa peau comme une entrave, mais de poursuivre avec passion ses ambitions professionnelles. Au-delà de leur affinité évidente, Barack a adoré sa famille. Le père de Michelle était atteint depuis longtemps de sclérose en plaques mais avait toujours refusé de se laisser abattre, pour donner l'exemple à ses enfants. Il n'avait donc rien raté de leurs activités. Ce qui avait surtout frappé Barack lors de sa première visite était l'impression de stabilité et de solidité qui émanait de la famille. La mère de Michelle qui faisait la cuisine, le père racontant sa vie, installé dans le petit jardin qui entourait leur maison bien soignée, les rires de Michelle et de son frère – il avait trouvé ce qu'il désirait. N'ayant pas eu de père, il avait la nostalgie d'une famille soudée et joyeuse, avec qui passer des soirées plus chaleureuses que dans son petit studio à Chicago. Barack est vite devenu ami avec Craig, le frère de Michelle, avec qui il partageait l'amour du basket. Craig se souvient d'avoir été surpris quand Barack s'était mis à parler de son ambition présidentielle. Aussitôt, Craig l'a interrompu pour le présenter à sa tante Gracie. Il redoutait que sa sœur, très exigeante, ne laissât tomber Barack comme elle l'avait fait avec ses copains précédents. Mais Barack a pu prouver qu'il était solide – Michelle et lui ont continué leur relation à distance avant de se marier en 1992.

À sa sortie de Harvard, les recruteurs se bousculaient à sa porte. « Vous êtes le numéro 643 sur la liste d'attente », annonçaient triomphalement ses amis quand ils prenaient un message pour lui. Très vite, son talent fut reconnu. Laurence Tribe, l'un de ses professeurs, écrirait plus tard : « J'ai connu des sénateurs, des présidents. Je n'ai jamais connu quelqu'un qui ait plus de talent politique en lui. Il a l'art de pousser les gens à se dépasser [1]. »

---

1. *Time*, 15 novembre 2004, cité dans Sherri et Mark Devaney, *Barack Obama*, Lucent Books, 2006, p. 33.

CHAPITRE 5

Les débuts politiques

Finalement, le retour à Chicago après Harvard était meilleur que prévu. Obama avait accepté un poste chez Miner, Barnhill & Galland, un petit cabinet d'avocats spécialisé dans la défense des droits civiques. Il était ravi de partager sa connaissance des quartiers pauvres de Chicago, travaillant sur la discrimination au logement, au travail et au vote. Mais, surtout, à sa grande satisfaction, il était aux côtés de Michelle. Il avait aussi commencé à enseigner le droit à l'université de Chicago. Ses étudiants ne tarissaient pas d'éloges sur son enseignement dont le style révélait une personnalité curieuse et réfléchie. « Si on exprimait à la va-vite une opinion, il vous demandait d'argumenter. Il creusait toujours davantage », affirme l'un de ses anciens étudiants. Un autre renchérit : « Il aimait les défis, et il aimait nous en lancer [1]. »

Quitter Chicago pour la faculté de droit de Harvard avait été plus difficile qu'il ne l'aurait cru. Sa réussite personnelle lui donnait presque mauvaise conscience, puisqu'elle l'éloignait de ses frères et sœurs des quartiers noirs de Chicago. C'est comme si, pour s'en sortir, un Noir devait inévitablement tourner le dos à son histoire. Rien de bon ne semblait pouvoir venir des quartiers noirs. Mais il imaginait une autre possibilité : faire profiter sa communauté de son succès, y demeurer et changer les choses de l'intérieur. Il est remarquable que ce souci d'intégration soit un choix entièrement personnel, puisqu'il avait été élevé comme un Blanc. Mais, pour Obama, se construire passait par là.

Michelle et Barack se sont donc installés à Hyde Park, un quartier multiethnique et populaire, le choix de beaucoup de couples et familles métissées. C'est là qu'ils devaient élever leurs deux filles, Malia et Natasha (Sasha).

---

1. *The New Yorker*, 26 novembre 2007, p. 72.

Toutefois, l'envie de faire de la politique démangeait Barack. Il avait commencé par travailler pour Projet vote, enregistrant de nouveaux électeurs dans des quartiers où la proportion de vote était plus basse que la moyenne. Cent mille nouveaux électeurs ont ainsi été enregistrés, avec une large prédominance de Noirs et de démocrates. Ces efforts ont permis au Parti démocrate de l'emporter dans l'Illinois, et à Carol Moseley-Braun d'être la première femme noire élue au Sénat, en 1993.

En 1996, une possibilité s'est offerte d'entrer au Sénat de l'État d'Illinois. Alice Palmer, sénatrice en place, avait décidé qu'elle voulait se présenter au Congrès à Washington. Suite à un accord avec elle, Obama avait le feu vert pour se présenter à sa place aux élections sénatoriales. C'était sans compter sur une complication inattendue : Alice Palmer perdit les élections au Congrès et décida de se représenter au Sénat, à un moment où Obama était déjà engagé dans sa campagne. À trente-quatre ans, il avait hâte de commencer sa carrière politique, et n'avait aucune envie de céder. Alors qu'Alice Palmer attendait qu'Obama se désiste, celui-ci a décidé de tenir bon – décision qui lui a valu de nombreuses critiques.

Palmer n'allait pas se laisser balayer aussi facilement. Elle a décidé en effet de se présenter contre Obama, et a organisé une conférence de presse pour y accepter une pétition de cent supporters qui l'incitaient à se présenter, y compris le jeune leader noir Jesse Jackson Jr., fil de Jesse Jackson, l'ex-candidat à la présidence. Palmer bénéficiait d'une certaine renommée, ce qui n'était pas le cas d'Obama.

Elle a réussi à amasser un nombre énorme de signatures en sa faveur. Pourtant, un volontaire du camp d'Obama a pu attaquer sa pétition sur un détail formel – des signatures manquaient – et celle-ci a été disqualifiée. Palmer s'est alors retirée de la vie politique, laissant la place à Obama, qui remporta sa première victoire. Sans jamais se vanter de cet épisode, il affirmera par la suite qu'il avait agi avec complète honnêteté. Il était clair néanmoins qu'il se révélait un jeune homme extrêmement ambitieux, et prêt à aller loin pour réaliser ses projets.

Cette campagne a été fascinante. Avec son conseiller Dan Shomon, Obama a sillonné l'Illinois. Cet État est un condensé du pays, presque une préparation pour sa future ambition présidentielle : « C'est un mélange entre le Nord et le Sud, l'Est et l'Ouest, l'urbain et le rural, le Noir et le Blanc et tout ce qu'il y a au milieu. Chicago peut avoir la sophistication de Los Angeles ou de New York, mais, géographiquement et culturellement, le sud de l'Illinois est plus proche de Little Rock ou de Louisville [1]. »

La stratégie de Shomon était de gagner le soutien des zones rurales de l'Illinois, souvent négligées par les hommes politiques de Chicago. Il incitait Obama à aller dans ce sens, doutant que ce jeune homme noir, sophistiqué et à l'éducation irréprochable, fasse le même effet à la campagne que dans les cercles d'intellectuels de gauche de Chicago. Il l'invitait, par exemple, à ne pas adopter un style trop à la mode, ou à prendre au restaurant de la moutarde simple, américaine, plutôt que de la moutarde de Dijon, considérée comme trop raffinée. Ces épisodes rappelaient George Bush père, qui était connu pour demander un « nuage de lait » dans son café, trahissant ses racines de la côte est.

Obama, en tout cas, se sentit parfaitement à l'aise avec cette classe moyenne du Midwest, ce qui allait lui servir considérablement pendant la campagne présidentielle. Les zones rurales des États-Unis étaient souvent considérées comme acquises aux républicains. Le paradoxe Obama, ses origines et son éducation attiraient les intellectuels – et plus généralement les électeurs cultivés, très présents dans le Midwest –, mais également les couches plus modestes. De ce fait, il pourrait séduire une partie toujours plus grande de l'électorat clintonien, ouvrier et rural. Et gagner dans le Midwest et les zones rurales – ce qu'on appelait les États « rouges », c'est-à-dire républicains – présentait un avantage de taille pour le Parti démocrate – le pari d'Obama serait d'amener des électeurs républicains – et pourquoi pas quelques États – du côté démocrate. S'installer dans le Midwest et en faire son assise politique lui a tellement réussi qu'on pourrait y voir le fruit d'un calcul politique. Ainsi qu'il le dirait plus

---

1. Barack Obama, *The Audacity of Hope*, *op. cit.*, p. 49.

tard : « Je comprends ces gens-là. Ma grand-mère votait républicain, j'ai grandi avec eux [1]. »

Obama a pu emporter les élections sans problèmes. Il était parti pour huit ans à Springfield, au Sénat de l'Illinois.

« Les premières années, Barack était considéré comme intelligent et réfléchi, mais il ne jouait pas dans la cour des grands [2]. » C'est ainsi que Shomon résume la position d'Obama comme sénateur de l'Illinois. Peu à peu, il a pu former des alliances avec d'autres démocrates et quelques républicains. Il allait jouer au poker chaque semaine avec quelques amis sénateurs. Il faisait toujours un peu l'effet de quelqu'un qui préférait ses bibliothèques aux bars, et semblait parfois se sentir au-dessus des autres. Quelques animosités se sont créées, comme lorsque l'un des sénateurs, marié, s'était présenté au cercle de poker avec une autre femme. Obama, qui avait grandi dans les valeurs du Midwest, chères à sa mère, avait eu du mal à cacher sa désapprobation.

Hillary allait accuser Obama d'avoir pendant toutes ces années voté présent au lieu de se prononcer pour ou contre quelque cent vingt-neuf propositions de loi. En fait, Obama a été assez actif grâce au soutien de son ami et mentor Emil Jones Jr., qui était devenu président du Sénat de l'Illinois. Il a présenté plus de sept cent quatre-vingts propositions de loi, dont deux cent quatre-vingts ont été votées. Il a travaillé sur une loi qui prescrit de filmer les interrogatoires dans les enquêtes concernant les crimes passibles de la peine capitale, afin d'éviter la peine de mort à des innocents. Il a aussi voté une proposition de loi qui étend la portée de l'assurance aux enfants ainsi qu'une loi sur l'éthique électorale. C'est aussi son opposition qui était significative – par exemple, il s'est opposé à une loi qui imposait une peine plus dure aux membres de gang, craignant que la définition imprécise de « membre de gang », en l'absence d'une carte d'affiliation, ne pénalise les jeunes Noirs et Hispaniques.

Après quatre ans en tant que sénateur de l'Illinois, Obama voulait aller plus loin. En 2000, il se présenta contre Bobby Rush aux

1. David Mendell, *Obama : From Promise to Power*, *op. cit.*, p. 120.
2. David Mendell, *ibid.*, p. 122.

primaires démocrates pour les élections à la Chambre de représentants. Rush était une légende pour les électeurs – militant des années soixante, il jouissait d'une énorme popularité. En 1968, il avait été cofondateur de l'antenne du parti radical Black Panther dans l'Illinois.

Dans la communauté noire, on ne comprenait pas forcément l'intérêt de la candidature d'Obama, contre un homme d'État noir si connu. Il semblait que son ambition l'emportait, et des voix s'élevaient aussi pour insinuer qu'il était quand même « moins noir » que Rush. Après tout, il n'avait pas été élevé dans une famille noire, son éducation à Columbia et à Harvard n'était rien moins que privilégiée, et il avait le soutien de nombreux intellectuels blancs et fortunés. Ses quelques années dans les quartiers noirs de Chicago valaient peu de chose par rapport au respect dont bénéficiait Rush, reconnu de longue date dans la communauté noire. Des articles qui accusaient Obama d'être contrôlé par les intérêts blancs paraissaient dans la presse de Chicago. Obama était traité d'homme blanc sous un masque noir. Ce qui l'avait servi pour se présenter aux élections venait maintenant le hanter : il était accusé d'avoir une éducation trop élitiste et de parler ou agir comme un homme blanc.

Obama avait lui-même remarqué que les problèmes de la communauté noire venaient de la couleur de la peau et d'une différence socio-économique de taille par rapport à la société blanche. C'était la juxtaposition de problèmes de race et de classe qui faisait la malédiction des Noirs aux États-Unis. Ayant cherché à s'intégrer dans la communauté noire, Obama n'en restait pas moins d'une classe différente, ce qui empêchait toute solidarité à son égard de la part des Noirs.

Deux semaines après son entrée en campagne, Obama avait réuni seulement quelques milliers de dollars. Dans les sondages, alors que 80 % connaissaient Rush, seulement 8 % disaient avoir déjà entendu le nom d'Obama. De plus, en octobre 2000, une balle atteint le fils de Bobby Rush, Huey Rich, alors qu'il sortait de sa maison. Le soutien populaire fut immense et immédiat. Malheureusement, il n'a pas été possible de sauver la vie du jeune homme, et Bobby Rush a dû faire son deuil en pleine campagne électorale.

On raconte que Jesse Jackson, le grand leader noir, a appelé Obama à ce moment-là en lui disant : « J'espère que tu comprends que la dynamique de la campagne a changé. » En effet, Obama s'apprêtait à lancer une campagne anti-Rush, ce dont il n'était plus question étant donné la situation. Les arguments concernaient notamment les relations de Rush avec son fils, maintenant mort...

Une autre situation délicate attendait Obama. Alors qu'il partait à Hawaï pour les vacances de Noël, son assistant, Shomon, l'appelle pour lui annoncer la nouvelle qu'une proposition de loi sur la réglementation des armes allait être votée en son absence. Il s'agissait d'un sujet sensible à Chicago, surtout après la mort du fils de Rush. La présence aux sessions de délibération et de vote est importante pour les sénateurs – et l'un des conseils de Hillary Clinton à Obama lorsqu'il sera élu au Sénat fédéral sera d'être présent avant tout. Son assistant l'implorait de rester à Chicago pour le vote. Néanmoins, Obama avait déjà fait son choix – sa fille Malia était malade, et il avait promis de passer du temps avec sa femme qu'il avait négligée à cause de ses voyages et de son activité de sénateur. La loi, qui a été effectivement présentée, a fini par être votée et les journaux de Chicago furent pleins d'ironie sur les vacances d'Obama à Hawaï à un moment aussi important. Obama aurait apparemment choisi la plage à la défense des citoyens contre la violence, à une époque où le taux de criminalité à Chicago était à son apogée. Il semble que toutes les circonstances aient été contraires à son élection. Obama a été mis en échec par une marge de 30 %.

Il eut du mal à vivre la défaite – jamais il n'avait été écrasé d'une telle façon. Obama est d'une nature férocement compétitive, et il n'avait pas l'habitude d'essuyer des échecs. Il est rentré au Sénat de l'Illinois où il a trouvé l'attitude de ses collègues sénateurs quelque peu changée envers lui. Il préférait ne pas parler de son aventure parlementaire pendant ses soirées de poker hebdomadaires, même si l'ombre de cet échec planait toujours dans la pièce. Cette situation lui pesait et il fallait entreprendre quelque chose de neuf pour pouvoir avancer.

Cette défaite a été une grande leçon de patience. Il allait reconnaître plus tard que sa candidature avait peut-être plus à voir avec son désir de jouer dans la cour des grands qu'avec la volonté de présenter un programme politique différent de celui de Bobby Rush. Pour l'impatient Obama, la couleuvre était dure à avaler. Peut-être semblait-il trop pressé, à trente-huit ans, ayant déjà écrit un livre à succès sur sa quête identitaire et son voyage en Afrique, puis été élu sénateur de l'Illinois où il avait fait passer plusieurs lois. Peut-être avait-il paru condescendant en récitant trop souvent son impressionnant CV, avec son diplôme de Harvard, son poste de président de la revue de droit la plus prestigieuse du pays, et celui d'enseignant de l'université de Chicago. Peut-être les quartiers noirs de Chicago ne le comprenaient-ils pas quand il parlait de toutes les brillantes perspectives de carrière qu'il avait choisi d'abandonner afin de s'engager dans le social après Columbia, et dans la politique après Harvard.

Pour lui remonter le moral, ses amis le persuadèrent d'aller à la convention démocrate de 2000. La précédente campagne pour l'élection l'avait laissé pratiquement sans le sou, et à l'arrivée sa carte American Express refusée par la compagnie de location de voitures. Comble de la déception, il n'y avait plus de laissez-passer pour aller à la convention et Obama n'y était pas accrédité en tant que délégué. Il dut écouter les discours sur un écran de télévision, dehors, dans la foule. Au lieu de l'aider à remonter la pente, ce voyage lui laissa un goût amer – perdu dans la foule, comme une métaphore de sa position au sein du Parti démocrate. Il parlera de ce moment comme d'un rappel à l'ordre : tout ne se déroule pas toujours comme prévu.

CHAPITRE 6

L'expansion de l'horizon

Au retour de la convention, Obama s'est remis à la tâche. Malgré sa déception, il aimait le travail législatif et les débats. Sa famille accueillit bientôt une deuxième petite fille, Natasha, surnommée Sasha. Au printemps 2003, il y eut une nouvelle possibilité de se présenter. Le sénateur de l'Illinois Peter Fitzgerald avait décidé de ne pas se représenter au niveau fédéral. Michelle, bien que fatiguée des absences de son mari et de son rythme de travail effréné, entre sa carrière d'avocat, ses séances au Sénat et les cours qu'il donnait a l'université de Chicago, lui donna son accord sans grand enthousiasme et en l'avertissant que son vote ne lui était pas acquis. « Et peut-être que tu perdras [1] », a ajouté Michelle avec un clin d'œil, inquiète des dettes engendrées par les campagnes de son mari.

Shomon, l'assistant d'Obama, avait décidé de ne pas l'accompagner dans ce voyage – pensant qu'une nouvelle campagne électorale serait trop de tension dans le ménage Obama, avec ses deux petites filles et une femme menant de front carrière et vie de famille. Ses amis ont essayé de le persuader de ne pas se présenter ; ils avaient l'impression que c'était trop tôt après la précédente campagne, éprouvante pour sa famille. Pourtant, à la fin d'un brunch organisé pour le dissuader, tout le monde ressort prêt à soutenir Obama.

L'annonce de sa candidature n'a pas suscité beaucoup d'intérêt. Faisant partie du cortège de la Saint-Patrick, passage obligé pour tout homme politique aspirant à être élu à Chicago, il s'est retrouvé en queue de procession, à quelques pas de l'équipe sanitaire. Avec ses dix volontaires, il saluait ce qu'il restait de passants alors que derrière eux commençait déjà le nettoyage de la procession...

1. David Mendell, *Obama : From Promise to Power*, *op. cit.*, p. 152.

C'est à ce moment-là que la campagne reçut un nouveau souffle. David Axelrod, l'un des stratèges politiques les plus renommés, et architecte de ses futures victoires, donna son accord pour travailler avec Obama. Le persuader n'avait pas été facile. David Axelrod est à Barack Obama ce que Karl Rove était à Bush. Son choix de travailler ou non pour un homme politique était en soi un signe de succès ou d'échec futur.

Axelrod avait d'abord été sollicité par Blair Hull, l'adversaire d'Obama à l'investiture démocrate. Axelrod avait l'habitude de passer ses candidats au crible avant de s'engager, évaluant leur chance de gagner. Hull a été avec Axelrod d'une candeur inhabituelle, signant par là même son arrêt de mort. Il venait de divorcer, et refusait de rendre public le dossier du divorce. Quand Axelrod lui demanda si le dossier cachait des choses, il se contenta de le fixer et de lui assurer qu'il n'y avait rien de compromettant. Axelrod compris que ses jours dans cette campagne étaient comptés.

S'engager aux côtés d'Obama était un risque pour Axelrod : un jeune du parti, très peu connu, avec du potentiel certes, mais qui n'avait pas encore fait ses preuves. Alors que Hull était un homme aux moyens quasi illimités, après une carrière dans la banque d'affaires, Obama avait tout à faire en termes de levée de fonds, et n'avait pas de fortune personnelle pour contribuer à la campagne.

Axelrod a donc défini une stratégie de proximité, avec un plan média basé sur la capacité de créer l'événement plutôt que d'acheter de l'espace publicitaire. Dans la recherche conduite par Axelrod et son équipe, il s'est révélé que les Blancs aimaient bien son image de premier président noir de la *Harvard Law Review*, et sa volonté, en tant que jeune Noir américain, de réussir envers et contre tout. Pour les électeurs noirs, ce qui le rendait proche était son travail social dans les quartiers sud de Chicago. L'équipe de campagne d'Obama est devenue très habile dans la segmentation de l'électorat, et a pu façonner l'image d'Obama en fonction des désirs des différentes couches de la population, ce qui, comme on le verra, sera l'un des facteurs clés de son succès.

Une possibilité de créer l'actualité s'est présentée durant les législatives en 2002, quand Barack a prononcé son célèbre discours contre la guerre en Irak, disant qu'il n'était pas opposé à toutes les guerres – position forcée, aux États-Unis, pour ceux qui aspirent au poste de commandant en chef des armées, mais qu'il refusait catégoriquement celle-là : « Ce à quoi je suis opposé, c'est à une guerre stupide. Ce à quoi je suis opposé, c'est à une guerre irréfléchie. Ce à quoi je suis opposé, c'est au cynisme de Richard Perle, Paul Wolfowitz [1] et autres guerriers du dimanche, bataillant depuis leurs fauteuils, à cette administration qui nous vend ses luttes idéologiques au mépris des dépenses engendrées et des vies perdues. Ce à quoi je suis opposé, c'est aux tentatives de politicards, tels que Karl Rove, d'occulter le problème des démunis, de la montée de la pauvreté, de la baisse du revenu moyen ; des scandales dans les grandes entreprises et du marché des actions qui vient de connaître son plus mauvais chiffre depuis la Grande Dépression.

« C'est ce à quoi je suis opposé : une guerre stupide. Une guerre irréfléchie. Une guerre fondée non pas sur la raison mais sur la passion, non pas au nom de certains principes mais sur des intérêts politiques [2]. »

L'éloquence et la maîtrise d'Obama sont d'autant plus impressionnantes que ce discours a été écrit d'un seul trait, en une seule soirée. Lui qui avait l'habitude de faire confiance à sa spontanéité a voulu ciseler chaque parole, sachant que son discours aurait une grande résonance politique. En effet, au fur et à mesure que la guerre en Irak s'enlisait, ses opposants semblaient s'assagir.

Sur son chemin vers la gloire, Obama a pu bénéficier de plusieurs coups de théâtre qui changèrent la donne des élections. Le premier était sans doute celui du dossier de divorce de Hull. Quand le secret de Hull éclata au grand jour – après des rumeurs persistantes et l'acharnement de la presse –, il est devenu clair que sa candidature s'arrêtait là. En fait, sa femme l'avait accusé de harcèlement moral et de violences de toutes sortes – entre autres des menaces de mort – les derniers mois de leur mariage. La stratégie d'Axelrod et de son

1. Richard Perle : démocrate favorable à la guerre en Irak ; Paul Wolfowitz : secrétaire adjoint à la Défense sous la présidence Bush de 2001 à 2005 (N.d.E.).

2. Cité dans David Mendell, *Obama : From Promise to Power*, op. cit., p. 175.

équipe avait été d'économiser les ressources jusqu'aux dernières semaines, quand les électeurs sont plus attentifs. Il n'était pas facile de s'y tenir alors qu'Obama piétinait face à la montée en flèche de Hull ; néanmoins, cette stratégie s'est révélée payante quand Hull sortit brutalement de la campagne, laissant toute la place à Obama.

Les démocrates l'ont élu, avec 53 % des suffrages. À son élection, Jesse Jackson proclama : « Ce soir, le Dr King et les martyrs sont avec nous. »

La deuxième partie de l'élection commençait : la bataille contre les républicains. Un autre scoop allait aider Obama : son opposant républicain, Jack Ryan, avait un dossier de divorce encore plus lourd que celui de Hull : il aurait incité son ex-femme de se rendre à des clubs échangistes. Face à deux dossiers de ce genre, Obama pouvait mettre en avant son mariage heureux et sa fidélité. C'est de cette époque que date son entrée dans la politique à l'échelle nationale, et bientôt dans l'esprit des américains. Le président Bush n'avait jamais entendu parler du jeune candidat sénateur avant de rencontrer une parlementaire qui affichait son soutien à la candidature d'Obama. Le Président a presque fait un bond en arrière ! La parlementaire lui expliqua qu'Obama était candidat au Sénat. « Mais je ne le connais pas », a dit le Président. « Oh, vous allez le connaître, monsieur le Président », lui a-t-elle rétorqué.

C'était moins de cinq ans avant les élections pour lesquelles Obama allait se présenter à sa succession. Il y a peu de cas d'ascension aussi fulgurante à Washington.

John Kerry, candidat démocrate à la présidence en 2004, avait rencontré Obama plusieurs fois à Chicago et était impressionné. Son visage de jeune leader noir correspondait à l'image de renouveau que Kerry voulait donner, sans grand succès, à sa campagne. Certains observateurs avaient même noté qu'Obama était plus à l'aise dans les débats que Kerry. Toujours est-il qu'Obama fut invité à tenir le discours à la convention démocrate de 2004, discours qui allait le lancer au plan national.

Obama n'était pas le premier homme politique noir américain qui devait prononcer un discours de cette importance. À la convention de 2000, c'était Harold Ford, jeune membre du Congrès de l'État du Tennessee, métis également, qui avait eu l'honneur d'inaugurer la convention. Son discours n'a pas eu de grand retentissement – étant donné le trop petit nombre de personnes qui le soutenaient et la mainmise du comité national démocrate. Obama a donc décidé d'écrire son discours lui-même. Il s'est inspiré de deux discours de ses prédécesseurs : « A Tale of Two Cities », le discours prononcé par Mario Cuomo en 1984, et celui d'Ann Richards en 1988. C'est là qu'Obama a développé la notion de « l'audace d'espérer », qui allait devenir le titre de son deuxième livre. Cette expression, entendue au cours d'un des premiers sermons de son pasteur, le révérend Wright, l'avait marqué. Le révérend Wright citait lui-même Martin Luther King : « J'ai l'audace de croire que partout les gens peuvent avoir trois repas par jour pour nourrir leur corps, une éducation et une culture pour nourrir leur esprit. »

Son discours à la convention, devant trente-cinq mille personnes, devait marquer le début de sa reconnaissance nationale et poser les fondements de sa philosophie politique, qu'il allait exposer tout au long de la campagne électorale : « Il n'y a pas une Amérique libérale et une Amérique conservatrice – il y a les États-Unis d'Amérique. Il n'y a pas une Amérique noire et une Amérique blanche, latine et asiatique – il y a les États-Unis d'Amérique. Les experts aiment diviser notre pays en États rouges et États bleus ; rouge pour les États républicains, bleu pour les États démocrates. Mais j'ai des nouvelles pour eux aussi. Nous adorons aussi notre Dieu glorieux dans les États bleus, et nous n'aimons pas les agents fédéraux autour de nos bibliothèques dans les États rouges. Nous entraînons nos enfants à faire du sport dans les États bleus et avons des amis homosexuels dans les États rouges. Il y a les patriotes qui se sont opposés à la guerre en Irak et les patriotes qui l'ont soutenue. Nous sommes un seul peuple, chacun de nous prête serment sous la même bannière, et chacun d'entre nous défend les États-Unis d'Amérique [1]. »

C'est cet appel à l'union envers et contre tout qui a fait la particularité du candidat Obama. Dans une Amérique amèrement divisée, cet appel aura un retentissement sans précédent. Au-delà de son programme, l'Amérique a été fascinée par le parcours personnel de

1. Voir Annexe 1, p. 167-171

celui qui devait si bien incarner le *Zeitgeist* du moment : « Je suis ici aujourd'hui, rendant grâce à la diversité de mon patrimoine, conscient du fait que les rêves de mes parents se poursuivent dans l'esprit de mes deux précieuses filles. Je suis ici, sachant que mon histoire appartient à la grande histoire de l'Amérique, conscient que j'ai une dette envers tous ceux qui sont venus avant moi, et que mon histoire n'aurait été possible nulle part ailleurs. »

C'est précisément parce que Obama semblait un candidat peu probable qu'il était aussi attirant – l'Amérique aime avant tout la réussite.

Obama réitéra aussi son opposition à la guerre en Irak. « Quand nous envoyons les jeunes gens affronter le danger, nous avons l'obligation solennelle de ne pas jouer avec les chiffres et de ne pas masquer la vérité sur les raisons de cette guerre ; de prendre soin de leurs familles pendant leur absence ; de nous occuper des soldats à leur retour ; et de partir au front avec toutes les conditions de la victoire, assurer la paix et gagner le respect du monde. »

La réaction fut instantanée et étonnante par son ampleur. Un courant est passé dans la foule – des gens se levaient de leurs sièges, certains pleuraient. Les observateurs de la vie politique, qui pourtant en avaient vu d'autres, avouaient n'avoir jamais rien connu de pareil. Le ton des louanges devenait presque gênant – Obama vivait une communion avec la foule.

Ce côté affectif est en effet typique de son parcours politique. La société américaine, avide d'émotion, ne résiste pas aux discours larmoyants et à l'enthousiasme des foules. Ce rapport viscéral d'Obama avec le public allait être son plus grand atout en même temps que sa plus grande faiblesse. On accusera notamment ses discours d'être trop vagues et de privilégier l'affectif au détriment du sens. Mais à ce moment-là, comme lors d'un coup de foudre, l'enchantement était total.

Immédiatement après la convention, des copies du discours ont commencé à circuler comme si le texte avait été celui d'un poète interdit. J'ai moi-même reçu une copie d'une amie par courriel avec ce commentaire : « Voilà quelqu'un qui un jour pourrait être président des États-Unis. » Les électeurs allaient au-devant des ambitions d'Obama – quand bien même, personne ne s'attendait à ce que le coup d'essai arrive aussi vite.

À la convention, il était l'étoile montante : « Vous êtes une star ! » lui criaient les journalistes. « Demandez à ma femme et vous verrez que ce n'est pas le cas », plaisantait Obama. En une soirée, il est devenu le favori de la gauche américaine.

Une fois rentré dans l'Illinois, Obama était devenu une star nationale, mais il devait encore gagner l'élection au Sénat fédéral. Sans opposant défini, Jack Ryan s'étant désisté, il ne voulait pas lever le pied. Son équipe électorale devait l'entraîner dans un tour de l'État. Accablé par sa célébrité grandissante, Obama devait se débattre contre les journalistes qui le suivaient sans relâche. Il était impossible de trouver une minute pour respirer ou un après-midi avec les siens. Soucieux de sa vie privée, il dut renoncer pour un temps à tout semblant de vie de famille. Même si sa femme et ses filles l'accompagnaient, elles passaient leur temps avec ses assistants ; Obama, lui, était accaparé par la foule. À la fin de ce périple, au bout du rouleau, il a soufflé à l'un de ses collaborateurs : « Vous avez fait un travail superbe. Ne me refaites plus jamais le coup. »

Alan Keyes, l'opposant que le Parti républicain avait choisi après la débâcle de Jack Ryan, était un homme politique sans beaucoup d'envergure, aux positions ultraconservatrices, notamment sur l'avortement. Pour Obama, le plus dur dans cette campagne n'était pas de le vaincre, il n'avait pas beaucoup de succès auprès des électeurs, mais de réfuter les accusations de Keyes d'être un mauvais chrétien. Ces attaques le culpabilisaient, le mettaient sur la défensive, lui qui venait de découvrir sa foi : « Qu'est-ce que je pouvais dire ? Qu'une lecture littérale de la Bible n'est que folie ? Je donnais la réponse que la gauche avait l'habitude de donner dans de tels débats : que nous vivons dans une société pluraliste, que je ne peux imposer mes opinions religieuses à quiconque, que je me suis présenté pour être sénateur, et non prêtre de l'Illinois. Mais en répondant, j'étais conscient des sous-entendus de Keyes – que je restais ancré dans le doute, que ma foi n'était pas pure, que j'étais un mauvais chrétien [1]. »

Ce conflit montre bien le dilemme entre la foi traditionnelle et celle de cette Amérique émergeante : non moins consciencieuse dans

1. Barack Obama, *The Audacity of Hope*, *op. cit.*

son devoir de foi, la nouvelle génération est plus axée sur les valeurs que sur l'expression de celles-ci. En effet, c'est bien de cette notion de valeurs que s'inspire le discours d'Obama sur la justice et le changement. Cette attitude ne sera, bien entendu, pas suffisante pour attirer les évangéliques mais convient à la nouvelle génération des chrétiens modérés américains. Obama note souvent que la génération de démocrates précédente (à laquelle appartient Kerry) n'a pas su comprendre l'engouement religieux du pays. Là encore, Obama est le premier représentant de cette génération qui peut bousculer les conventions héritées des années soixante selon lesquelles être de gauche et être croyant ne vont pas de pair.

L'électorat n'était également plus en phase avec la rhétorique ou les méthodes de Keyes. Le 2 novembre 2004, Obama a largement remporté l'élection : 70 % des voix contre 29 % : du jamais vu dans l'histoire des sénatoriales de l'Illinois. Sa carrière décollait.

Washington était un autre monde pour Obama. La quiétude relative dont il avait pu bénéficier dans l'Illinois allait s'envoler et il allait être constamment sur le devant de la scène. La campagne très théâtrale pour le Sénat, avec ses adversaires révélant chacun leur passé peu reluisant, lui avait permis de rester fidèle à ses principes d'une nouvelle politique, moins politicienne et tortueuse. On pouvait presque se demander s'il pourrait garder son sang-froid, dans la capitale. Jusqu'ici, il avait simplement dû s'en tenir à ne pas faire de remarques désagréables et éviter les attaques directes. Être chevaleresque à Washington serait beaucoup moins aisé.

Le déménagement apportait également beaucoup de changements d'ordre familial. Grâce à sa notoriété nationale, Obama avait conclu un contrat de deux millions de dollars pour trois livres, dont un sur ses positions (qui deviendrait *The Audacity of Hope*, « L'audace d'espérer ») et un livre pour enfants écrit avec Michelle.

Il pouvait maintenant assurer la sécurité financière de sa famille et envoyer ses deux filles dans l'école de son choix.

Mais il devrait aussi s'habituer à vivre seul, au moins pendant la semaine – ses collaborateurs lui conseillaient de laisser sa famille à Chicago. C'était préférable, il ne fallait pas la priver de son environnement, à un moment où Obama n'avait que très peu de temps à lui consacrer. Il a donc dû s'habituer à passer des soirées solitaires

– d'ailleurs occupées la plupart du temps par des obligations sociales et politiques. Il disait à ses proches à quel point sa nouvelle vie de célibataire lui rappelait l'époque de ses études à Columbia. Comme alors, une seule chose l'accaparait : penser à la suite de sa carrière politique.

CHAPITRE 7

La découverte de Washington

Le jour où Obama prêta serment au Sénat (le 5 janvier 2005), il monta par l'escalier du Capitole, échangeant avec sa femme des paroles complices, lorsque Malia, sa fille de six ans, le regarda en lui demandant, les yeux grands ouverts : « Papa, est-ce que tu seras Président ? » Signe du destin peut-être, il allait avoir au Sénat la place qu'occupa John F. Kennedy.

Son équipe avait en fait déjà mis en place un plan d'attaque, même si officiellement tout le monde s'accordait à dire qu'il était trop tôt pour penser à la suite. Il fallait battre le fer pendant qu'il était chaud, avait estimé David Axelrod. Bon nombre d'hommes politiques prometteurs s'étaient enlisés dans la politique de Washington où il était difficile d'accomplir des choses, et plus facile de se faire des ennemis que des amis. « Si vous voulez un ami à Washington, achetez un chien », disait la sagesse populaire – recommandation que Bill Clinton avait écouté en prenant son fameux labrador blanc. Un homme politique en pleine ascension, peut-être un peu trop jeune, pouvait être, aux élections suivantes, dépassé par les événements, sans avoir pu réaliser ses rêves. L'Amérique, pays jeune et impatient, a toujours plus d'indulgence pour ceux qui sont jeunes et pressés que pour ceux qui s'attardent à table...

Le plan de David Axelrod était aussi élaboré que théâtral : les premiers mois, il fallait repousser toutes les avances de la presse alors que l'intérêt pour Obama, jeune sénateur noir et star montante, était à son comble. Et cela, pour deux raisons : laisser la presse sur sa faim afin d'éviter une lassitude au moment où Obama en aurait le plus besoin, et ne pas donner l'impression que le Sénat n'était qu'une étape nécessaire dans son ascension. Il était aussi impératif pour Obama de connaître les pratiques et les personnalités de Washington, de créer son bureau et de rassembler une équipe de collaborateurs doués. C'était aussi le moment d'écrire son livre politique. Obama a pu faire partie du comité des affaires extérieures du Sénat, position qui lui permettrait de faire valoir son expérience sur la scène mondiale. Le but des premiers mois était de s'immerger dans le travail au Sénat et se concentrer sur les questions pertinentes pour les électeurs de l'Illinois, qu'il retrouvait chaque week-end. Début 2006, il serait nécessaire de prendre part à la campagne démocrate pour le Congrès. Puis un voyage en Afrique devait ramener l'intérêt sur la personne publique d'Obama, tout en appuyant sur son envergure internationale et son expérience de la politique extérieure. Ce serait aussi le moment de la sortie de son livre, ce qui intensifierait encore l'intérêt du public et de la presse.

À Washington, Obama devenait de plus en plus modéré. Il avait beau avoir ce talent de s'entendre avec ses adversaires, il était quand même résolument de gauche. Comme s'il se préparait déjà à rassembler tous les Américains. Le conseil d'Axelrod avait été fort et lapidaire : éviter les conflits à tout prix. Il a été une voix modératrice pendant la catastrophe de Katrina, bien loin de la colère des leaders noirs de la génération précédente, tels Al Sharpton ou Jesse Jackson. En novembre 2005, il a introduit une législation qui permet aux fabricants de voitures hybrides de financer l'assurance-maladie de leurs ouvriers. En échange du financement, les constructeurs automobiles concernés doivent investir la moitié de leurs bénéfices dans des technologies réduisant l'utilisation du pétrole. Il a travaillé avec le sénateur Lugar sur la loi Lugar-Obama, promulguée en janvier 2007, ayant pour objectif de donner les moyens au département d'État de détecter et d'arrêter le développement d'armes de destruction massive. Il a été parmi les premiers à exiger des mesures contre la grippe aviaire ; il s'est aussi employé à défendre la cause de l'éthanol en donnant des crédits d'impôt aux stations essence qui installeraient des pompes d'éthanol.

Les partisans de Hillary Clinton ont toujours dénoncé son manque de résultats au Sénat – un présentateur aborda un des supporters politiques d'Obama, lui demandant de citer une chose que le candidat eut accompli au Sénat. La réalité est qu'Obama y était entré jeune et était vite passé à une ambition présidentielle ; ainsi, il eut peu de temps et de chance d'y faire quoi que ce soit de concret. Conscient lui-même de cette lacune, il aime rappeler qu'il était classé quatre-vingt-dix-neuvième sur cent au Sénat et qu'il avait donc peu d'influence sur le processus législatif. Comme le dit un démocrate au fait des affaires de Washington, « les gens ne venaient pas voir Obama pour ce qu'il avait accompli, mais pour ce qu'ils espéraient qu'il deviendrait ». Il semble qu'aller plus loin ait toujours été le projet d'Obama.

C'est effectivement à cette époque qu'il a rencontré Hillary Clinton. Elle trônait pratiquement au Parti démocrate et tout le monde savait qu'elle serait un jour candidate à la présidence. Impressionnée comme beaucoup par le jeune sénateur noir venu de province, elle lui a ouvert sa maison de Washington. De plus, elle était le mentor idéal pour Obama : qui mieux qu'elle saurait comment se passent les débuts au Sénat quand on est plus célèbre qu'expérimenté ? Obama se tourna vers elle pour lui demander conseil sur ses chances de réussir au Sénat. Ses recommandations étaient claires et simples : baisser la tête et se concentrer sur le travail. Hillary, grande ambitieuse depuis toujours, avait peur que les électeurs de New York ne se sentent déçus de ne servir que de tremplin ; elle a donc préféré attendre et obtenir un deuxième mandat pour étayer son expérience (décision qu'elle regrettera presque par la suite, tellement l'argument de l'expérience se révélera peu porteur). Sa stratégie, et ses conseils à Obama, étaient de suivre la ligne du parti, d'essayer de faire partie de comités qui pouvaient compter sur l'électorat de son État d'origine, et ne pas abuser de sa popularité, pour ne pas s'attirer l'animosité de Washington.

Obama a écouté ses conseils mais décidé de ne pas les suivre. « Ton tour pourrait ne jamais arriver », lui disait Tom Daschle, ancien chef de la majorité démocrate au Sénat. Obama a décidé de brusquer les choses et de faire de sa jeunesse et de son manque d'expérience un atout plutôt que de rester et d'attendre à Washington que son heure arrive. De nature impatiente, il était plus doué pour la confrontation que pour la résignation. Conscient de ses lacunes, il faisait aussi confiance à sa capacité à apprendre – il serait un bien meilleur candidat vers la fin de la campagne, au moment décisif.

Par ailleurs, l'histoire montre que peu de sénateurs deviennent Président – plus Obama s'attardait au Sénat, moins il avait de chances d'être élu Président. Hillary Clinton risque d'être la prochaine victime de cet adage : l'expérience est inversement proportionnelle à la chance d'être élu. Les Présidents sortants sont des adversaires formidables, et les gouverneurs ont plus l'expérience du gouvernement. En effet, Bill Richardson, le gouverneur du Nouveau-Mexique, ne manquait pas de rappeler qu'il était le seul candidat démocrate à avoir une vraie expérience dans ce domaine – ce qui lui a pourtant peu servi. En 1996, par exemple, le président sortant, ex-gouverneur d'Arkansas, Bill Clinton, n'a pas eu de mal à mettre en échec le sénateur Bob Dole. Le sénateur John Kerry a été battu par le président sortant George Bush, ancien gouverneur du Texas. Seulement deux sénateurs en poste ont été élus Présidents pendant les cent quinze dernières années – Warren G. Harding et John F. Kennedy. Si Obama réussit, voilà un autre point qui le rapprocherait de Kennedy. Comme l'a dit un observateur de la vie politique, le Sénat, jadis considéré comme le berceau des Présidents, est devenu le cimetière des ambitions nationales.

Le choix des sénateurs sera toujours utilisé contre eux – toutes les fois que Kerry a voté contre les dépenses militaires ont finit par lui donner une image d'antimilitariste peu habilité à mener le pays en temps de guerre. Malgré cette responsabilité, les sénateurs ne comptent que pour une voix sur cent, alors que les gouverneurs sont perçus comme les vrais décideurs, capables d'actions concrètes. En effet, cinq des sept derniers Présidents étaient d'anciens gouverneurs (Richard Nixon, Jimmy Carter, Ronald Reagan, Bill Clinton, George W. Bush) – et les deux autres, Gerald Ford et George H. Bush, furent d'abord vice-présidents. Un autre observateur explique ainsi les avantages du manque d'expérience : « La fraîcheur ne dure pas éternellement. Si Obama attend au Sénat six à dix années de plus, il peut finir par avoir l'air d'un sénateur – c'est-à-dire par ne plus pouvoir parler anglais –, ou pire, il peut commencer à penser comme un politicien de Washington, résigner à ne rien pouvoir changer [1]. »

Rester en fonction trop longtemps voulait donc dire s'associer aux coteries de Washington et ne plus pouvoir avoir un rôle d'outsider, toujours très convoité dans la politique américaine. Richard « Dick »

1. Joe Klein, « Barack Obama Isn't Not Running for President », Time.com, 28 mai 2006.

Durbin, l'autre sénateur de l'Illinois, le déconseillait également : son discours à la convention démocrate ayant suscité pas mal d'intérêt, Durbin suggérait qu'il fallait en profiter, car cela ne durerait pas éternellement. Il rappelait avoir eu des collègues qui avaient attendu en vain, et glissait que la question de l'expérience était moins importante qu'on ne le croyait. Mille voix de plus au Sénat n'allaient pas faire d'Obama un meilleur Président.

Pendant son voyage en Afrique, avec sa femme et ses deux filles, Obama a été accueilli au Kenya comme un vrai héros national. À son passage, des milliers de gens le saluaient et des enfants ont même été appelés Barack en son honneur.

À son retour, Obama était prêt à se lancer. Les médias le suivaient partout. Un consultant politique de Washington avait même surnommé Obama « Jésus noir », en référence à la nature messianique de son discours. Un ancien conseiller de John Kennedy l'a appelé après avoir suivi l'un de ses discours à la télévision : « J'avais vu John Kennedy et maintenant je vous ai vu [...] », trancha-t-il. Le parallèle avec Kennedy, aussi jeune et brusque qu'Obama, était de plus en plus courant.

Le livre d'Obama est devenu un succès national, restant dix-sept semaines sur la liste des best-sellers du *New York Times* et détrônant John Grisham à la tête des ventes, alors que les livres de Hillary Clinton et de John Edwards étaient loin du haut de l'affiche. Faire le tour du pays pour faire la promotion de son livre était l'occasion pour Obama de tester ses prétentions auprès des électeurs – bien des observateurs notaient déjà que certains livres ont une fonction plus électorale que d'autres. La revue *Time* a mis Obama en page de couverture avec en titre : « Pourquoi Barack Obama pourrait être le prochain Président. » La vente de billets pour ses conférences a dépassé celle de Bill Clinton, petite claque aux Clinton – d'autres suivraient.

Les idées d'Obama n'étaient pas radicalement différentes – mais sa personnalité semblait avoir une résonance particulière. Troisième sénateur noir depuis la Reconstruction à la fin du XIXe siècle, premier président noir de la *Harvard Law Review*, Obama incarnait comme personne une Amérique nouvelle et « kennedyenne », pleine d'espoir, impulsive et avide de changements mais prête à la collaboration.

Michelle Obama était invitée par l'équipe Obama à toutes les réunions importantes. Son soutien serait nécessaire tout au long de la campagne – elle n'en finissait pas de se plaindre des absences prolongées de son mari, et se refusait à négliger ses enfants quelle que soit l'issue des élections. « J'espère que c'est du sérieux et que ce n'est pas une campagne de rigolos », a-t-elle jeté quand on lui a présenté l'idée de la campagne présidentielle. Anti-lady Macbeth par excellence, Michelle espérait toujours que l'échec lui ramènerait son mari à la maison. Elle n'est pas en effet sans ressembler à Cécilia Sarkozy par son peu d'attrait pour le rôle de première dame.

Une ouverture semblait effectivement possible. Alors que John Edwards ne paraissait pas être une grande menace, et Barack pourrait tenter de capter les votes anti-Hillary. Il semblait y avoir beaucoup de soutien populaire à la candidature d'Obama – sa petite équipe était submergée de gens voulant s'impliquer, et une stratégie envers des donateurs se mettait en place. En effet, Mark Warner, ex-gouverneur de Virginie, avait décidé de ne pas se présenter. Sa position était similaire à celle d'Obama – un outsider de Washington avec un message de changement; les donateurs qui le soutenaient avait donc rejeté les avances de Clinton et étaient donc susceptibles d'offrir leur appui à Obama.

Obama s'est décidé durant ses vacances à Hawaï, sa retraite préférée. C'est là qu'il prenait ses décisions les plus importantes. Il avait le sentiment que, pour lui comme pour la société, le temps du changement était venu. Un tel moment risquait de ne plus se reproduire. Il parle à cet égard de « vocation », selon un vocabulaire inspiré de l'Église noire, même si en le faisant il était conscient de briser les règles auxquelles était tenues un jeune sénateur fraîchement émoulu des élections. Son parcours atypique lui a permis de faire fi des règles – appartenant à plusieurs mondes à la fois, il était trop conscient de la fragilité des conventions pour s'y tenir.

En janvier 2007, Obama a formé un « comité exploratoire ». La date de l'annonce n'était pas anodine – c'était l'anniversaire de la mort de Martin Luther King. Celle-ci fut suivie de l'annonce formelle de sa candidature présidentielle en février, en face du vieux Capitole de Springfield, dans l'Illinois. Le choix de l'endroit était symbolique : Abraham Lincoln y avait servi en tant que législateur et y avait prononcé son fameux discours contre l'esclavage, en 1858. Le discours d'Obama, lui, annonçait déjà la couleur : il ne voulait pas simplement se présenter pour suivre les règles du jeu politique, mais pour les changer : « Transformons cette nation. C'est ici que nous avons appris à être en désaccord sans être désagréable – qu'il est possible de faire des compromis si l'on respecte les principes fondamentaux ; tant qu'on est prêts à écouter les autres, on peut voir le bon côté des gens plutôt que de s'attarder sur le mauvais... »

La journée était glaciale, mais le temps n'a pas dissuadé la foule des journalistes et des observateurs. On avait déjà conscience que le moment serait peut-être historique. Le train Obama se mettait en marche.

II

Des primaires à rebondissements

CHAPITRE 1

Le début des primaires : victoires et faux pas

Obama est entré en campagne sans les avantages habituels : une liste de donateurs prêts à fournir des fonds, une stratégie établie, un nom connu, une image élaborée, des bureaux de campagne bien aménagés. Il cultive la différence. Dans ses bureaux de Chicago où son équipe se réunit tous les vendredis pour déjeuner autour d'une table de ping-pong, il a plus l'air d'un jeune entrepreneur, d'un patron de start-up, que d'un homme politique avisé. Cela fait partie de sa stratégie. « Je préférerais perdre les élections que de le perdre, lui, tel qu'il est [1] », lance sans ambages son conseiller en communication, David Axelrod. À message nouveau, campagne nouvelle. Barack Obama évite à dessein tout ce qui pourrait l'apparenter aux autres hommes politiques.

« Notre campagne ne sera jamais une campagne rigide, structurée et élitiste [...]. D'autres le font mieux que nous. Mais j'espère que nous aurons une campagne qui grandira plus vite qu'on ne pourra la cloisonner [2]. » C'est ainsi que Robert Gibbs, l'un des conseillers d'Obama, résume la situation. Matt Bennett, l'un des collaborateurs du général Wesley Clark lors de sa campagne en 2004, renchérit : « La chose la plus dure dans la course à la présidentielle, c'est d'à la fois ne pas s'éloigner des électeurs et se positionner en candidat crédible sur la scène nationale, car ces deux objectifs sont en conflit direct. Le candidat représente un nombre énorme de personnes, et il ne peut pas les oublier. Mais en même temps, il doit jouer le jeu [3]. » Est-ce que jouer le jeu voudrait dire vendre son âme au diable ?

---

1. Anne E. Kornblut, « Obama Confronts "Outsider" Dilemma », *The Washington Post*, 5 février 2007.
2. *Ibid.*
3. *Ibid.*

Contre Obama, une rivale de taille, Hillary Clinton, entre dans la course avec tous les avantages que l'on peut imaginer. Méticuleuse, elle s'est occupée en 2006 à créer une liste de donateurs potentiels et à définir sa stratégie – ce qui pour Obama restait encore à faire. En gros, Hillary avait passé six ans à préparer la campagne, sans compter le profit qu'elle tirerait de la présidence de son mari. La partie s'annonçait intéressante. Pour la première fois un homme noir et une femme se disputaient la candidature démocrate (pourquoi les deux en même temps ? se plaignaient certains).

L'arrivée d'Obama dans la course a été un coup dur pour Clinton - son poulain au Sénat, en quelque sorte, qui maintenant s'émancipait et se retournait contre son professeur. La certitude de gagner n'a d'abord pas permis aux Clinton de mesurer l'ampleur de la menace - ce n'était qu'un candidat de plus. Clinton répétait à qui voulait bien l'entendre que la course serait terminée le jour du « Super Mardi », le 5 février 2008. L'organisation de sa campagne, commencée très en avance, et son financement paraissaient infaillibles. C'était sans compter sur la tornade Obama.

Le début de la campagne a montré un Obama quelque peu timide dans les débats, bien gentil par rapport à la férocité qu'il allait révéler plus tard. Quand il a déclaré qu'il serait prêt à bombarder le Pakistan pour éradiquer Al-Qaida, un incident diplomatique s'ensuivit. Clinton a tout de suite sauté sur l'occasion, décrivant le jeune sénateur comme un débutant, inexpérimenté dans les affaires internationales. De plus, Obama a affirmé vouloir mener des négociations avec les leaders des pays ennemis, tels que les Iraniens. Hillary, perplexe, s'interrogeait sur ce qu'on pourrait bien promettre aux Iraniens en échange des concessions que l'on attendait d'eux.

Sur un certain nombre de sujets, Obama et Clinton étaient d'une similitude telle que cela rendait les débats presque soporifiques : tous les deux voulaient stopper les baisses d'impôts lancées par Bush, sauf pour la classe moyenne (même si Obama mettait le revenu annuel imposable à 75 000 dollars, alors que Clinton le laissait à 250 000 dollars), s'accordaient à vouloir restreindre la dépendance énergétique des États-Unis, au pétrole. Obama se distinguait par sa politique sur l'éducation : il voulait accorder un crédit de 4 500 dollars aux étudiants afin de baisser leur dette en échange d'un travail d'utilité publique.

L'Iowa fut le théâtre du premier coup de tonnerre dans ces primaires hautes en couleur. Dans un État blanc à 91 % (ou même à 95 %, en incluant les Hispaniques), c'est Barack Obama qui l'a emporté. Même Bill Clinton avoue avoir été surpris par sa victoire. L'Iowa allait lui servir de rampe de lancement. Surprise de taille, Hillary était en troisième place derrière John Edwards.

Pour la première fois, tout paraissait possible. Le moment avait tout l'air d'être historique.

Obama enfonce le clou dans son discours du 3 janvier, et revendique fièrement son statut d'« *underdog* [1] », gagnant envers et contre tout. Il commence par ce passage qui va faire chavirer les foules : « Ils ont dit que ce jour ne viendrait jamais. Ils ont dit que nos regards se portaient trop haut. Ils ont dit que ce pays était trop divisé, trop désenchanté, pour se rassembler à nouveau pour un but commun. »

L'aura qui entourait Hillary a été brisée. Rien de tel qu'un résultat inespéré pour gagner le cœur de l'électorat américain. Et Obama de continuer : « Mais, en cette nuit de janvier, à ce moment clé de notre histoire, vous avez accompli ce dont les cyniques vous croyaient incapables. [...] Vous avez réalisé ce que l'Amérique peut accomplir en cette nouvelle année, 2008. En rangs serrés dans les écoles et les églises, dans les petites bourgades et les grandes villes, vous vous êtes rassemblés, démocrates, républicains et indépendants, pour dire au monde entier que nous sommes une nation, un peuple, et que l'heure du changement est arrivée. »

Sa victoire, qui a démenti les sondages et les prédictions des observateurs, n'est pas sans rappeler son slogan de campagne « Oui, on le peut », repris en boucle sur Internet et sur YouTube par ses supporters. C'est ici un excellent résumé du message d'Obama : une invitation à se rassembler à l'intérieur du pays et une volonté de changer à l'extérieur.

Cette première victoire a donné confiance aux partisans d'Obama. Si cette approche pas très orthodoxe de la politique pouvait marcher dans l'Iowa, elle avait peut-être des chances ailleurs. À l'époque,

1. Celui que l'on prédit perdant (N.d.E.).

nombreux étaient ceux qui considéraient Obama trop jeune et un peu trop naïf, avec ses idées de vouloir tout changer. Ces doutes sont désormais balayés.

L'Iowa était aussi un cas à part. En général, les démocrates y sont plus âgés, et ils comptent une plus grande majorité de Blancs que dans le reste du pays. Ce n'était pas le fief naturel d'Obama. La clé était, semble-t-il, de ne pas s'en tenir au jeu mais de changer la donne : Barack avait attiré beaucoup d'indépendants et de jeunes, ainsi qu'une fraction des républicains qu'il a pu persuader de le rejoindre. Son soutien, à ce stade, venait beaucoup plus des Blancs ayant une certaine éducation que de la communauté noire, qui avait des doutes sur sa possibilité d'être élu et sur son profil « trop blanc ». Les résultats d'Iowa ont colmaté cette brèche au moins en partie, démontrant clairement qu'il pouvait l'emporter et que les voix qu'on lui donnait ne seraient pas perdues.

Clinton n'allait pas se laisser faire. Toujours jugée un peu froide par rapport à un Barack Obama éminemment sympathique, elle avait reçu le conseil de s'exposer davantage, de montrer sa vulnérabilité, son côté féminin, un peu trop caché. La veille des élections dans le New Hampshire, Hillary verse une larme ou deux en parlant des difficultés des Américains. Toutes les caméras de télévision retransmettent ce célèbre moment qui tout à coup la présente sous un jour différent, plus sensible – les femmes ressentirent sa féminité, surtout les femmes mûres. Hillary la dure a dû baisser sa garde – stratégique, bien sûr, pour se faire plus humaine, loin de ses discours bien rodés, pour une Amérique toujours avide de spectacle.

Tout à coup, Obama s'est trouvé au centre d'un orage médiatique. Alors qu'il avait été donné perdant en Iowa, il était maintenant en tête des sondages. Des voix s'élèvaient même pour réclamer que Clinton retire sa candidature si elle essuyait une autre défaite dans le New Hampshire. Mais c'était sans compter sur la capacité des Clinton à rebondir.

Le pari était pourtant loin d'être gagné. Au New Hampshire, le 8 janvier, c'est la surprise : alors que tous les yeux étaient rivés sur Obama qui était, cette fois-ci, en tête dans les sondages, un autre coup de théâtre se produisit. Contrairement à ce que l'on attendait,

raham Lincoln, mémorial national du Mont Rushmore (détail), Dakota du Sud.
om Bean/Corbis

Martin Luther King, 1963.

rvard, 1992.
RDA/Rue des Archives

Sarah Hassan Obama.
© Kate Holt/epa/Corbis

Barack, Michelle Obama et leurs deux filles Sasha et Malia Ann.
© AFP

hn Fitzgerald Kennedy, à Berlin, 26 juin 1963.
Suddeutsche Zeitung/Rue des Archives

ırtford, Connecticut, février 2008.
Charles Rex Arbogast/AP/Sipa

Barack Obama et sa rivale Hillary Clinton, avril 2007.

ichard Nixon et John McCain en 1973.
Crandall/Sipa

John McCain aujourd'hui.
© Neema Frédéric/Gamma/Eyedea

Barack et Michelle Obama, Chicago, 2008.

c'est Hillary Clinton qui gagne avec 39 % des voix contre 37 % pour Obama.

Hillary, entourée de femmes plus jeunes (et non plus de Madeleine Albright, qui était là le soir de la défaite dans l'Iowa, offrant un contraste flagrant avec les collaborateurs d'Obama), a appelé les États-Unis à poursuivre dans cette voie. Pendant quelques jours, on eut l'impression que tout était redevenu comme avant, qu'Obama n'était qu'une comète qu'on allait vite oublier. Mais cet ordre ancien, si rassurant, était trompeur...

Cette tendance allait pourtant se renforcer lors des élections qui ont suivi. Le 19 janvier, dans le Nevada, Clinton remporte le vote populaire avec 51 % des voix contre 45 % pour Obama, mais ce dernier finit avec 13 délégués contre 12 pour Clinton [1], phénomène dû au découpage des circonscriptions – Obama remporte deux circonscriptions alors que Clinton en gagne une seule, la plus grande. Il est curieux que le contraste entre vote populaire et nombre de délégués, qui a fait le malheur de l'élection de 2000, se reproduise ici à petite échelle. Au Nevada, le soutien des syndicats vaut son pesant d'or, surtout celui du tout-puissant syndicat des casinos. Pour faciliter le vote, des isoloirs ont été installés juste en face des casinos, créant ainsi l'image emblématique d'une Amérique où le jeu politique côtoie les jeux de hasard. Clinton s'y était opposée car le syndicat des casinos l'avait privée de son soutien. Pourtant, un autre groupe a fini par contre-balancer le poids des syndicats : un groupe qui allait être un arbitre décisif dans ces élections. Il s'agissait des immigrés d'Amérique latine, ou Latinos. Ils se sont mobilisés en masse pour Hillary ; un vote plein de nostalgie pour la décennie Clinton, époque d'épanouissement pour la communauté, qui a changé la vie de plus d'une famille.

Le Michigan et la Floride, disqualifiés, n'étaient pas censés envoyer des délégués à la convention de Denver – sanction du Parti démocrate pour ne pas avoir suivi le nouveau calendrier électoral dû à la réforme des primaires. Le but de cette réforme était d'éviter le poids démesuré que les États votant les premiers prenaient dans les primaires et leur influence sur la suite. En effet, voter plus tôt n'est

---

1. Le processus des primaires sert à remporter des délégués en vue de la convention démocrate qui se tiendra en août à Denver (N.d.E.).

pas sans avantages. Les candidats sont généreux en promesses et les investissements en publicité substantiels dans les États qui déterminent largement la tendance – leurs vainqueurs attirent toute l'attention de la presse ainsi que tous les fonds et seraient de fait mieux positionnés pour gagner les élections. Il fallait donc faire voter le plus d'États au même moment – d'où l'idée d'un Super Mardi qui n'avait jamais existé auparavant. Néanmoins, certains États ont tout de même choisi d'avancer leurs élections en ignorant les dates fixées par le parti. Ces États en ont été sanctionnés d'une interdiction d'envoyer leurs délégués siéger à la convention.

Les candidats ne faisaient pas campagne dans le Michigan ni en Floride, deux États considérés comme des tests, indiquant leurs préférences naturelles. Clinton a remporté les deux batailles, et a immédiatement commencé à plaider après coup pour une annulation de la sanction, espérant que les délégués qui l'avaient élue finiraient par pouvoir aller à la convention de Denver.

Chapitre 2

Attaques des Clinton et appuis des Kennedy

Les jours précédant les élections ressemblaient à un match de boxe. Politiquement, la Caroline du Sud avait la réputation de pratiquer les coups bas, et cette saison électorale n'allait pas la démentir. On disait que l'électorat réagissait vivement aux campagnes musclées, et les Clinton n'avaient pas l'intention de se faire prier.

D'abord, un représentant noir de leur campagne a insinué, à l'occasion d'un discours dans une église, que Clinton se battait déjà pour les droits des Noirs à l'époque où Obama faisait encore « vous savez quoi » – allusion aux drogues qu'il avoue dans son autobiographie avoir consommé pendant sa jeunesse. La meilleure stratégie est toujours de reconnaître les choses, les erreurs de jeunesse, pour désamorcer les éventuels scandales et, cela, Obama l'avait fait longtemps auparavant. Cet élément biographique était déjà notoire, l'accusation n'a pas produit l'effet escompté et s'est retournée contre Clinton, accusée de coup déloyal.

Invoquer sa consommation de cocaïne, insinuer que les républicains voudraient savoir s'il en avait vendu, sortir un mémo sur les origines musulmanes d'Obama, la campagne de Clinton n'avait cessé de chercher comment faire mal. Ces coups tordus ont souvent eu un effet contraire. Ainsi ces paroles de Clinton qui réduisaient le rôle de l'emblématique Martin Luther King pour porter celui d'un Président prêt à l'action : « Je voudrais souligner le fait que le rêve de Martin Luther King a commencé à se réaliser lorsque le président Lyndon Johnson a adopté la loi sur les droits civiques, en 1964, quand il a été à même d'obtenir du Congrès ce que le président Kennedy avait espéré faire, ce que les Présidents avant cela n'avaient même pas tenté. Ce rêve est devenu réalité car un Président a dit : "Nous allons faire cela." »

Martin Luther King est une légende au-dessus de tout soupçon; toute comparaison avec lui ne saurait être qu'un honneur... Quand vos ennemis s'en prennent aux grandes figures de l'histoire en pensant vous faire du mal, leur échec est patent...

Ensuite, l'équipe de Clinton a pris la décision de séparer Hillary, qui devait garder son calme, de son mari utilisé comme arme stratégique pour attaquer Obama. Bill Clinton, grand maître de la politique, y a mis du sien : d'abord, il s'est appliqué à attaquer Obama sur son opposition à la guerre, la qualifiant de « naïveté ». Il a renchéri en comparant Obama à Jesse Jackson, leader noir qui avait emporté la Caroline du Sud en 1984 et 1988, mais sans gagner l'investiture. En insinuant ainsi qu'Obama serait gagnant en Caroline du Sud car il était le candidat naturel des Noirs, nombreux dans cet État, il s'est attiré la colère générale.

Enfin, les Clinton n'ont pas hésité à le faire passer pour un admirateur de Reagan, véritable légende aux États-Unis, en rappelant une remarque d'Obama sur les innovations économiques de l'ancien Président. Cette dispute n'a fait que souligner le rayonnement bipartite d'Obama, lui apportant davantage de voix républicaines (de même que des démocrates avaient choisi de suivre Reagan à l'époque).

Cette stratégie a donc fini par se retourner contre le camp Clinton. Alors que l'idée était de dissocier Hillary de ces polémiques, c'est le contraire qui s'est produit : on parlait de plus en plus de la campagne « des Clinton » – cette formulation faisait penser à une famille dominante, sinon à un groupuscule, habile en intrigues, fomentant des machinations. Cette expression malheureuse rappelait aussi le népotisme inhérent à la situation, alors qu'Obama avait le beau rôle du challenger, d'un gars tout simple qui jetait un défi à la machine politique de Washington. Elle s'est empressée de dire que sa campagne était sous contrôle et que la présidence serait la sienne et celle de personne d'autre. Il était trop tard : soit elle donnait l'impression de ne pas tenir son mari – on parlait du spectre de l'ex-Président « lâché en liberté » à la Maison-Blanche –, soit elle devait assumer ses déclarations choquantes.

Une campagne et une présidence de « Billary » était en effet une arme à double tranchant : alors que certains, surtout dans la communauté latine, se réjouissaient de la bonne affaire (« deux pour le prix d'un »), d'autres s'inquiétaient de ce que ferait au système américain une présidence bipolaire. Finalement, attaquer Obama sur des questions de race a été perçu comme un coup bas indigne d'un ex-Président, homme d'État respecté. De plus, c'est comme s'il volait la vedette à sa femme, invalidant son féminisme. En effet, son expérience, le soutien qu'elle a pu rassembler, les acquis de la décade Clinton, dont elle ne cesse de se vanter – tout viendrait de lui... C'est à se demander ce que Hillary avait accompli par elle-même !

Décidément, tout cela avait tout l'air d'un film à suspense. En Caroline du Sud, c'est Obama qui l'emporta de nouveau. Avec 55 % des voix contre 27 %, presque le double des voix de Hillary Clinton. Son discours fut historique, inspiré de sa performance à la convention démocrate de 2004 : « Ce soir, les cyniques prédisant que ce qui a commencé dans les neiges de l'Iowa n'était qu'illusion ont vu les choses différemment [...]. Après quatre contestations dans chaque coin du pays, nous avons le plus de voix, le plus de délégués, et la coalition la plus éclectique d'Américains que nous ayons vue depuis très, très longtemps. Ils sont jeunes et vieux, riches et pauvres ; ils sont noirs et blancs, latinos et asiatiques. Ce sont des démocrates de Des Moines et des indépendants de Concord, des républicains du Nevada rural et des jeunes gens de tout le pays qui n'avaient jamais trouvé de raison de voter jusqu'à présent. »

Obama se réclame non seulement de groupes de soutien divers mais aussi de sa capacité à s'engager auprès d'eux ; déjà, il apparaît présidentiel. Il change la dynamique du débat contre ceux qui voyaient en lui le candidat des Noirs : « Le choix dans ces élections n'est pas à faire entre des régions, des religions ou des sexes. Il ne s'agit pas des jeunes contre les vieux ou de Noirs contre des Blancs. Il s'agit de choisir entre passé et futur. »

C'était une attaque directe contre les insinuations de Bill Clinton et sa rhétorique de la division. Ce discours reflète réellement le message d'Obama : il va au-delà des clivages géographiques, religieux ou démographiques – pour se réclamer de tous les Américains.

Il y expose également sa grande idée d'une nouvelle manière de faire de la politique : « Nous voulons plus qu'un changement de parti à la Maison-Blanche. Nous voulons changer fondamentalement le statu quo à Washington [...]. Nous sommes contre la pensée conventionnelle selon laquelle les capacités du Président à mener le pays dépendent du temps passé à Washington ou de la proximité à la Maison-Blanche. [...] Nous sommes contre ces années de batailles partisanes et amères qui poussent les politiciens à diaboliser leurs opposants (quand, par exemple, il n'est pas permis de dire qu'un républicain a eu une idée, même si c'est une idée qu'on ne partage pas). [...] Nous sommes contre l'idée qu'on peut dire tout et n'importe quoi dans le seul but de gagner une élection. »

Aux attaques mesquines de ces journées qui ont précédé les élections de Caroline du Sud en janvier a succédé une accalmie. Alors qu'on finissait par se demander si Obama se laisserait entraîner dans une politique politicienne comme tout un chacun, oubliant ses promesses d'une campagne différente, il a repris le dessus, établissant clairement les paramètres. Il dominait désormais le terrain car il a pu établir un nouveau standard de comportement en campagne – position qui va lui apporter bon nombre de voix mais aussi limiter ses choix quant aux réponses envers les attaques des Clinton.

Alors que la majorité de la classe politique donnait la victoire à Hillary Clinton, le discours de Barack Obama apparut comme réellement historique. Pourtant, nombreux sont ceux qui attendaient pour se prononcer l'événement du Super Mardi, qu'ils imaginaient comme un raz-de-marée qui allait clore le débat électoral.

Mais, la vraie nouvelle qui irait jusqu'à éclipser le discours sur l'état de la nation prononcé par Bush vint de Caroline Kennedy, la fille de l'ancien Président, qui annonçait son soutien à Obama à la une du *New York Times*, le 27 janvier. Les paroles de la dauphine des Kennedy, qui jusqu'à présent ne s'était pas impliquée dans la politique, valaient de l'or : « Tout au long des années, j'ai été profondément touchée par des gens qui me disaient rechercher la même inspiration et le même espoir qu'avait pu leur insuffler mon père. Ce sentiment est encore plus fort aujourd'hui. C'est pourquoi je soutiens un candidat démocrate à l'investiture présidentielle, Barack Obama. Toute ma vie j'ai entendu dire par des gens que mon père avait changé leur vie, qu'ils sont entrés en politique ou ont choisi le service public parce que mon père le leur avait demandé. Et la génération qu'il a inspirée a transmis cet esprit à ses enfants. Je rencontre des jeunes gens nés longtemps après la présidence de John F. Kennedy, qui me demandent comment continuer ses idéaux. Parfois il faut du temps pour reconnaître que quelqu'un a le don particulier de nous faire croire en nous-mêmes, de lier cette confiance à nos plus grands idéaux, et d'imaginer qu'ensemble on peut faire de grandes choses. En ces rares moments, quand une telle personne apparaît, on doit mettre de côté nos propres plans et essayer d'atteindre ce que nous savons possible. Nous avons cette opportunité avec le sénateur Obama. Ce n'est pas que d'autres candidats n'aient pas l'expérience ou la compétence, ce n'est pas ce qui est en jeu cette année. Nous avons besoin d'un nouveau leadership dans ce pays – comme c'était le cas en 1960. »

Il est significatif que Caroline ait été amenée vers Barack par ses enfants, qui comme beaucoup de jeunes se sont rangés résolument à ses côtés. Elle parle de leur enthousiasme qui lui a ouvert les yeux sur les possibilités offertes par Obama : « J'ai passé cinq ans à travailler dans les écoles publiques new-yorkaises et j'ai trois enfants adolescents dans ma propre famille. La génération qui arrive est pleine d'avenir, travailleuse, prête à l'innovation et pleine d'imagination. Mais souvent aussi sans espoir, défaitiste et désengagée. En tant que parents, nous avons le devoir d'aider nos enfants à croire en eux-mêmes et en leur pouvoir de façonner l'avenir. Le sénateur Obama inspire mes enfants, les petits-enfants de mes parents, de ce sentiment du possible. »

Ce couronnement était plus que ce qu'Obama ne pouvait espérer – c'était l'affiliation du jeune candidat au président le plus vénéré des États-Unis, John F. Kennedy lui-même. « Je n'ai jamais connu de Président qui inspire autant que les gens me disent l'avoir été. Je crois avoir trouvé l'homme qui pourrait être ce Président – pas uniquement pour moi mais pour toute une génération d'Américains. »

L'annonce du soutien de Caroline Kennedy a fait l'effet d'une bombe – plus personne ne peut douter que l'histoire est en train de se faire sous nos yeux. Jamais aucun Président, et certainement aucun candidat, n'avait eu droit à un tel honneur.

Le lendemain, Ted Kennedy, le frère de JFK et légendaire sénateur du Massachusetts, lui emboîtait le pas. Les Kennedy, grande famille de la politique américaine, ont pratiquement un statut royal aux États-Unis, et leur soutien vaut de l'or. Leur influence était surtout décisive pour influencer le vote hispanique, très courtisé dans ces élections. Ted Kennedy est resté le patriarche du clan, et son appui vaut sans doute plus que celui de tout autre membre de la famille. La veille, Bill Clinton avait eu une conversation avec Ted Kennedy, essayant de le dissuader de se joindre au camp Obama. Malgré tous ses efforts, le vétéran des batailles politiques n'a pas mâché ses mots : « Je sens du changement dans l'air... Cela me rappelle une autre époque, dans les années soixante, quand je suis arrivé au Sénat à l'âge de trente ans. Nous avions un nouveau Président, qui a incité la nation, surtout les jeunes, à chercher de nouvelles frontières... Ils se rendaient compte que se demander ce qu'on pouvaient faire pour le pays, pouvaient changer le monde... Nous vivons la même chose aujourd'hui, je sens le même désir ardent, la même soif d'aller de l'avant et de faire avancer l'Amérique. Et en Barack Obama, je vois non seulement l'audace mais l'espoir pour une Amérique qui est encore à faire. »

Kennedy n'a pas manqué de lancer une pique à Hillary Clinton : « Rejetons les conseils du doute et du calcul. Souvenons-nous de l'époque où Franklin Roosevelt envisageait la Sécurité sociale, il n'a pas dit : "Non, c'est trop ambitieux, un rêve trop grand, trop dur." Quand John Kennedy pensait aller sur la Lune, il n'a pas dit : "Non, c'est trop loin, peut-être on ne devrait pas y aller ni même essayer." »

Il pousse le parallélisme entre Obama et Kennedy encore plus loin, évoquant le contraste entre l'expérience et l'innovation du temps de Kennedy : « Il y a une autre époque où un jeune candidat s'est présenté aux élections et a lancé le défi à l'Amérique de traverser une "nouvelle frontière". Il devait faire face à la critique du président démocrate sortant, très respecté dans le parti. Harry Truman avait dit que l'on avait besoin de "quelqu'un de plus expérimenté" et avait ajouté : "Puis-je vous inciter à être patient ?" Et John Kennedy avait répondu : "Le monde est en train de changer. La vieille école ne fait plus l'affaire... Le temps d'une nouvelle génération de leadership est arrivé..." Mes amis, je vous demande de vous joindre à moi dans ce voyage historique – d'avoir le courage de choisir le changement. C'est à nouveau le moment d'accueillir une nouvelle génération au pouvoir. Il est temps pour Barack Obama. »

Le message de Kennedy de « remplacer la politique du doute par la politique de l'espoir » a eu un retentissement profond. Kennedy était un atout clé pour attirer la base traditionnelle du Parti démocrate, alors qu'Obama était plus fort à ses marges et chez les indépendants.

Le cachet des Kennedy aidant, l'appui de l'establishment démocrate, d'abord parcimonieux, a commencé à grandir : Maria Shriver, autre membre du clan Kennedy, mariée au gouverneur de Californie, Arnold Schwarzenegger, et Kathleen Sebelius, gouverneur du Kansas. Obama, qui était d'abord clairement derrière Clinton en termes de soutien par les dignitaires du parti, avait maintenant derrière lui de quoi rivaliser.

Tous les yeux étaient désormais tournés vers le Super Mardi, la fin présumée des primaires, le jour où la majorité des États devaient voter.

Chapitre 3

Super Mardi : la fin des primaires ?

Le Super Mardi était la charnière du pari de Clinton : vingt-quatre États qui votent tous en même temps, parmi lesquels les « gorilles » de New York, du New Jersey et de Californie. Sa stratégie était simple : prendre une avance impossible à rattraper, et clore le débat. La tension dans les états-majors de la campagne était palpable : c'était là que l'on verrait si Obama était un épiphénomène, et tout le monde s'attendait à ce que Clinton montre les dents. Si elle ne gagnait pas avec une grande marge, elle serait donnée perdante. Finalement, le 5 février, la situation a été encore pire : les deux candidats se sont retrouvés pratiquement à égalité. Obama a gagné huit cent quarante délégués, contre huit cent vingt-quatre pour Clinton. Celle-ci a pourtant gagné le gros lot avec New York, le New Jersey, la Californie ainsi que des États dans le Sud-Ouest, alors qu'Obama a gagné les États du Sud et du Midwest tels que la Georgie, l'Alabama, le Connecticut, l'Idaho, l'Illinois bien sûr, son État d'origine, ou encore le Kansas et le Minnesota.

Tous les yeux étaient fixés sur le Missouri dont la réputation de voter pour le futur Président ne s'était trompé qu'une seule fois. La population de cet État semblait être représentative de l'ensemble du pays, avec un mélange d'urbains et de ruraux, de Noirs et de Blancs, de jeunes et de vieux. Signe prémonitoire peut-être, Obama l'a emporté...

En revanche, le Massachusetts, qui était censé lui être acquis a déçu ses espérances : malgré le soutien du gouverneur de l'État, des Kennedy et du sénateur John Kerry, ancien candidat à la présidence lui-même, c'est Clinton qui a gagné. La campagne de Clinton avait été extrêmement forte dans les États du Nord-Est de tradition démocrate, alors qu'Obama était meilleur dans les États où il y avait beaucoup d'indécis. Karl Rove, le stratège des victoires de Bush en 2000 et 2004, se réjouissait d'ailleurs des progrès d'Obama : selon lui, il gagnait surtout dans les États rouges, c'est-à-dire républicains, ce qui ne lui serait d'aucune utilité face à McCain.

La stratégie d'Obama pour le Super Mardi était de minimiser les pertes dans les grands États, à l'aide du soutien des Kennedy notamment, et de se concentrer sur les petits États où Clinton ne faisait pas du tout campagne. En effet, les règles des primaires favorisaient légèrement ces derniers États : du fait du système des « arrondis » ; dans les grands États il fallait gagner un grand nombre de circonscriptions pour avoir un avantage en termes de délégués. À moins de l'emporter avec une avance énorme, les délégués des grands États allaient quoi qu'il arrive se répartir entre les deux candidats ; gagner dans les petits États allait donc propulser Obama en tête.

Le Super Mardi a fait ressortir plus clairement les lignes de partage démographiques. Obama avait recueilli les suffrages des gens les plus éduqués dans les zones urbaines, ceux des hommes et des Noirs. Hillary, elle, était forte dans les zones plus rurales, chez ceux qui gagnaient moins de 50 000 dollars par an, les femmes, les Hispaniques et les Asiatiques.

Elle avait gagné parmi ceux qui se souciaient avant tout de l'économie et de l'état de l'assurance-maladie ; Obama était en tête chez ceux qui se disaient déçus par la guerre en Irak. Son pari était clairement de changer la donne électorale ; il était extrêmement bien vu par les jeunes et ceux qui d'habitude s'abstenaient. Le contraste en termes d'âge était frappant : à New York, trois personnes sur cinq parmi les moins de moins de trente ans ont voté Obama, alors que la même proportion chez les plus de soixante ans ont choisi Clinton. Il n'y avait pas à douter : Obama était le candidat de l'avenir.

La grande erreur de la campagne de Clinton était de ne pas s'être préparée pour la suite du Super Mardi : Obama avait ses structures de campagne en place dans les prochains États, alors que Clinton a dû commencer de zéro. Elle avait compté sur une victoire dans les grands États, et avait pensé ne pas perdre trop de temps et de fonds dans les petits États qui devaient voter entre le Super Mardi et les élections dans le Texas et l'Ohio le 4 mars. En fait, Obama et Clinton se retrouvaient à égalité dans une course beaucoup plus serrée qu'elle ne l'avait prévu.

Après le Super Mardi, Clinton a donc été prise au dépourvu, contrairement à Obama, qui allait enchaîner sur plus de dix victoires. Les premières eurent lieu dans le Nebraska et la Louisiane le 9 février, suivies par le Maine le 10 février. Toutes ces élections étaient marquées par la même tendance : Obama consolidait ses positions et prenait de plus en plus d'avance chez ceux qui à l'origine avaient donné leur appui à Clinton. Désormais, il semblait difficile de l'arrêter sur sa lancée – nombre d'observateurs parlaient d'un nouveau chapitre de l'histoire américaine. Néanmoins, les États où Obama avait gagné étaient petits, et Clinton dominait toujours par le nombre de délégués.

Chapitre 4

La marche victorieuse

Une surprise attendait les électeurs le soir du 12 février – une vraie inversion des rôles. Barack Obama avait commencé en tant que challenger. À l'issue de élection du Potomac (Virginie, Washington et Maryland), il était le gagnant, en première ligne, de l'investiture démocrate. Il a emporté les trois États loin devant Hillary Clinton, de 27 % à 50 %. Le nombre des délégués le soir du 12 février était de 1 212 pour Obama contre 1 191 pour Hillary Clinton, après des mois où celle-ci avait été en tête de tous les sondages [1] ! Obama avait gagné dans vingt et un États (en plus du district de Washington), Clinton dans dix seulement, même si elle avait emporté les méga-États, de New York, du New Jersey et de Californie.

Le plus étonnant est qu'il a été capable de butiner dans l'électorat clintonien : ceux qui gagnent moins de 50 000 dollars, les femmes, y compris les femmes jeunes, les syndicats, et en général l'électorat blanc. Il a démontré qu'il pouvait vraiment se hausser au-delà des clivages de sexe, de couleur de peau, et même des clivages socio-économiques.

Clinton semblait incarner la position de ceux qui disent « Non, on ne peut pas », tandis qu'Obama rassemblait avec le slogan « Oui, on le peut » – rappelant celui des syndicats hispaniques (« Oui, c'est possible »). Forte de son pragmatisme, elle avait fini par symboliser la grisaille du quotidien par rapport à la dimension de rêve portée par Obama. Dans son discours, Clinton personnifiait l'Amérique comme un père qui se lève à l'aube pour aller travailler et ne dort pas de la nuit, la passant à réfléchir sur le moyen de payer les factures. Obama, lui, martelait : « Aujourd'hui on commence à rêver de ce qui est possible. »

1. Il faut 2 025 délégués pour décrocher l'investiture (N.d.E.).

De manière subtile, son message devenait de plus en plus proche des couches populaires, dépassant l'image élitiste qu'il avait au début. La campagne de McCain a commencé à s'orienter contre Obama plutôt que contre Hillary, nommant « platitudes » les discours qu'il tenait. McCain essayait de plus en plus de se différencier du message messianique d'Obama – son idée était qu'il ne voulait pas se faire élire pour sauver l'Amérique mais bien parce que l'Amérique l'avait sauvé.

Il devenait de plus en plus clair qu'Obama avait touché un point sensible. Ce qui semblait un pari fou seulement quelques mois auparavant était maintenant un vrai mouvement. Décidément, Obama était un vrai poète de l'âme populaire !

Hillary, faisant campagne au Texas, a choisi de ne même pas mentionner sa défaite cinglante, et a décidé de ne pas faire campagne dans le Wisconsin (décision sur laquelle elle reviendrait par la suite), pour se concentrer sur les grands États du Texas et de l'Ohio. Il semblait nécessaire qu'elle change de rôle, celui de l'establishment, par rapport au souffle d'air frais amené dans la politique par Obama.

Le jeu était tellement serré que tout était possible. Il semblait clair désormais que rien ne serait acquis avant la fin, laissant aux superdélégués, les officiels du parti, le soin de départager les voix. Dans le système américain, fédéral par excellence, les élections se passent État par État. Tous ont des systèmes légèrement différents mais le trait commun est toujours l'élection de délégués à la convention du parti, qui, chacun leur tour, choisissent un candidat. Leur nombre correspond au pourcentage de voix gagnées par le candidat. Tout est simple jusque-là ; pour rendre les choses plus intéressantes, à ces délégués directs s'ajoutent les superdélégués, dignitaires et militants du parti. Les superdélégués ont été crées en 1982, après que Ted Kennedy eut jeté un défi à Jimmy Carter pour l'investiture présidentielle. Kennedy avait fait de la convention démocrate son champ de bataille, en proposant vingt-trois amendements au parti. Ce dernier avait été affaibli par la bataille interne, et la décision fut prise d'élire des superdélégués, dignitaires et éléphants du parti, pour équilibrer le jeu, sauvegarder la plate-forme démocrate et éviter les conflits entre les différentes factions. Élus démocrates aux deux Chambres du Congrès, gouverneurs, élus locaux, et anciens Présidents, tels que

Bill Clinton ou Jimmy Carter, ces superdélégués sont les garants des valeurs démocrates, et sont censés éviter des dérives incontrôlables à la convention. Ils sont en fait eux-mêmes imprévisibles. Deux dynamiques opposées pourraient avoir une influence sur leurs décisions : la loyauté d'un côté, car beaucoup doivent leur position aux Clinton, et le jeu des élections à venir de l'autre, surtout dans les États qui se sont prononcés pour Obama – difficile de se mettre à dos son propre électorat.

Les superdélégués, qui d'habitude passent à peu près inaperçus, risquent cette fois d'être au centre de l'affaire : alors qu'ils peuvent assurer leur voix à un candidat donné, ils ne sont pas tenus par leurs promesses, à la différence des délégués élus, qui doivent être représentatifs du vote dans leur circonscription.

Dans le Wisconsin, le 19 février, Obama a continué à rafler des voix à Clinton, gagnant à 58 % contre 41 %. Hillary s'enfonçait de plus en plus : elle devrait désormais gagner plus de 65 % des délégués restants pour se retrouver de nouveau en tête.

Elle perdait même du terrain auprès de l'électorat blanc et des femmes, surtout les femmes âgées. Le Wisconsin aurait pu être un État à remporter pour Clinton : sa population ouvrière, aux revenus moyens, correspondait bien au profil qu'elle visait avec les questions de l'économie et de la santé. Obama avait pourtant emporté 54 % des voix de ceux qui gagnaient moins de 50 000 dollars par an et avait 13 % d'avance sur Clinton parmi ceux qui n'avaient pas fait d'études supérieures – deux groupes qui étaient traditionnellement pour Clinton. Chose plus troublante encore, alors que Clinton recueillit le vote à 58 % des plus de soixante-cinq ans, Obama dominait nettement parmi les moins de soixante-cinq ans, avec 61 % des voix.

53 % des électeurs avaient jugé les attaques de Clinton injustes et stériles. En effet, dans les journées qui avaient précédé l'élection, Clinton s'était acharnée à trouver les points faibles de la campagne d'Obama. Le premier concernait une volte-face qu'il avait fait sur le financement de sa campagne. Alors qu'au début de la course Obama avait promis d'accepter les fonds publics (ce qui voulait dire se limiter à 85 millions de dollars) si son adversaire faisait de même, il devenait beaucoup plus évasif sur le sujet au fur et à mesure que la

campagne progressait. Cette attaque révélait qu'Obama était moins prêt à s'en tenir aux lois imposées par le financement public maintenant qu'il avait le vent en poupe et devançait nettement Clinton en termes de fonds qui rentraient.

Le deuxième point d'attaque concernait un de ses discours, qui semblait copier une allocution de Deval Patrick, gouverneur du Massachusetts et ami d'Obama. Étant donné le degré d'abstraction de bon nombre de discours politiques, ce point semblait trouver peu d'écho et ne pas émouvoir les foules. En tout et pour tout, la campagne de discrimination (ou « comparative », pour utiliser le vocabulaire clintonien) n'a pas empêché Obama de s'en sortir avec dix-sept points d'avance. C'était à se demander ce qui serait arrivé sans cette mauvaise publicité. Le camp Clinton a donc décidé de frapper plus fort.

Obama a eu plus de voix que McCain et Huckabee réunis ; les démocrates se sont déplacés deux fois plus que les républicains pour ces primaires. À ce stade, la mobilisation autour d'Obama ressemblait à un vrai raz-de-marée. La popularité de Clinton baissait à chaque élection, et elle décida de changer son équipe après l'élection du Potomac, en remplaçant son chef de campagne. Elle en était réduite à chercher des stratégies de défense – elle qui s'était toujours comportée en héritière légitime du titre –, même celles-ci ne marchaient pas. Dans la grande bataille sur la question du sexe et de la couleur de peau, cette dernière était plus importante pour les Américains. Les efforts des féministes aux côtés de Hillary semblaient vains : il était difficile de croire qu'une multimillionnaire, épouse d'un ex-Président, soit démunie de privilèges.

McCain a commencé à prendre ouvertement position contre Obama. Son attaque portait sur ce que représente Obama et ce qu'allaient être les sujets principaux de la campagne : « Je vais me battre à chaque instant pour que les Américains ne soient pas trompés par un message de changement, éloquent mais vide. » McCain allait clairement opposer son pragmatisme et son expérience à la campagne grandiloquente d'Obama, pleine d'idées mais souvent trop vague. Cette approche qui avait été celle de Clinton semblait avoir échoué. Il était ironique de voir McCain s'aligner involontairement sur la position de Hillary Clinton, la pire ennemie des conservateurs. « Je sais qui je suis et ce que je veux faire. » Par cette attaque, McCain pointait l'indécision d'Obama. C'était aussi une opposition plus subtile entre son traditionalisme, ancré dans des valeurs sûres et inamovibles, et la versatilité d'Obama, nourrie de plusieurs traditions. La candidature de ce dernier changeait en effet la donne des alliances politiques habituelles en attirant des groupes d'électeurs nouveaux, ou bien en faussant le jeu des appartenances traditionnelles, comme dans le cas de certains républicains décidant de voter pour lui.

CHAPITRE 5

Un débat qui se corse

Obama avait réussi à changer l'enjeu du débat politique américain. Avec lui, la question n'était pas de savoir si on était plus ou moins à gauche, comme dans l'opposition, classique et très attendue, entre Clinton et Edwards, mais concernait les grandes idées et leur application, les idéalistes et les technocrates, la volonté de changement et le statu quo confortable. Les partisans de Clinton s'efforçaient d'expliquer son attachement aux valeurs du changement et de citer tous les cas pratiques où elle avait fait avancer les choses – Obama était désormais maître de ce thème et les efforts clintoniens tombaient à plat.

Clinton se retrouvait en effet dans une situation inattendue. Au début de sa campagne, elle voyait le fait d'être une femme comme son plus grand obstacle, d'où sa peur d'être accusée de ne pas être assez dure, de ne pas pouvoir prendre des décisions difficiles, et ce concernant la guerre notamment. Soudain, les rôles s'étaient inversés : elle qui avait travaillé à cacher sa fragilité était accusée d'être trop dure. Son vote en faveur de la guerre en Irak avait été en grande partie un calcul politique – pour elle, il semblait important de prouver qu'elle saurait faire la guerre comme n'importe quel homme. Depuis, cette décision la hantait face à un Obama qui parlait de son opposition à la guerre. Elle avait fait tous ces efforts pour rivaliser avec les hommes, or elle se trouvait face à un homme qui ne cherchait pas à cacher sa vulnérabilité, qui avait de grandes idées et qui était plus malléable, moins dur, plus accessible.

Les attaques de Clinton sur les propositions évasives d'Obama n'ont fait que le renforcer – son discours de victoire après l'élection de Wisconsin était dans les idées aussi bien qu'il exposait son programme. En quarante-quatre minutes, il avait exaspéré plus d'un journaliste. Dès le début de sa carrière politique (alors qu'il était encore étudiant), Obama était tenté par les longueurs ; pour reprendre le mot de Talleyrand, il n'avait pas le temps de faire des discours brefs. Gardant son message de changement, il l'avait élargi en incluant des propositions politiques concrètes. Clinton, au contraire, avait choisi d'élever son message pour pouvoir tenir tête à Obama. La première place lui échappait et elle qui croyait à la chance, rien ne semblait plus lui réussir. Comme on sait, l'original est toujours préférable à la copie, et reprendre le style d'Obama le renforçait encore.

Pour reprendre la tête, il fallait à Hillary la force de redéfinir le débat comme l'avait fait Obama. Elle n'y parvenait pas et en restait à des sujets rebattus : la santé, l'assurance médicale, l'économie, la fragilité de l'emploi et la délocalisation des entreprises à l'étranger. Tout ceci paraissait bien frileux par rapport à l'appel d'Obama au changement, à une nouvelle ère, et finalement à une nouvelle Amérique qui se reconnaissait dans ses paroles. Clinton, dure et rigide, évoquait le recul, tandis qu'Obama, jeune, frais et versatile, parlait d'espoir.

Paradoxalement, Clinton, qui est une ennemie jurée des Bush, en venait à leur ressembler, tellement elle était assimilée à l'ordre établi de Washington. Obama, lui, ne se privait pas de la fustiger, et de rappeler que porter à Washington toujours les mêmes visages allait conduire au même statu quo. Attaqué sur son manque d'expérience, il avait su transformer son innocence en avantage.

La seule arme qui restait désormais à Clinton était l'attaque ; la question la plus débattue de sa campagne était de savoir s'il était judicieux d'attaquer encore Obama. Cette tactique, on l'a vu, n'avait pas payé et cela risquait d'écorner davantage l'image des Clinton, de les poser en manipulateurs sournois, image qu'Obama ne manquerait pas d'exploiter dans ses discours. Il voulait une politique qui mette les gens en valeur plutôt qu'elle ne les rabaisse, et des débats dignes et respectueux. De telles attaques apporteraient de l'eau à son moulin.

L'équipe de Hillary était divisée sur cette question : Mark Penn, son chef de stratégie, trouvait qu'il était temps de monter au front, alors que Mandy Grunwald, sa conseillère en communication, encourageait une approche plus nuancée, considérant que les attaques la desserviraient. Jusqu'alors, Hillary ne répétait que les mêmes arguments contre Obama : son manque d'expérience pour diriger les États-Unis à une époque aussi conflictuelle, son manque de crédibilité sur la scène internationale et la nécessité d'agir.

Sa meilleure ligne de défense contre un orateur aussi brillant était d'en dénoncer la grandiloquence – les grands discours ne seraient pas suffisants. Or, comme au temps de Kennedy, notre époque semble avoir besoin de renouveau, de grandes idées plus que d'administration, de grands élans et pas seulement de petits pas. Clinton semblait avoir perdu le bien-fondé de ses arguments, ces avantages qui la rendaient plus crédible – son avance en termes de fonds collectés, dans les sondages et le nombre de délégués. La machine clintonienne, jadis confiante en sa toute-puissance, semblait désormais s'essouffler.

Barack paraissait de plus en plus présidentiable, et Hillary, d'habitude si habile, commettait des gaffes inexcusables, comme d'oublier de féliciter Obama pour sa victoire et de remercier ceux qui l'avaient choisie dans le Wisconsin. Ce manque de courtoisie a été souligné avec délectation par tous les médias et l'équipe de Clinton a dû tenter de rectifier le tir à grand-peine, en disant qu'elle l'avait appelé directement pour le féliciter. Mais le mal était fait. Une autre gaffe fut de continuer à parler alors qu'Obama commençait son discours, ce qui provoqua sa déprogrammation sur toutes les chaînes de télévision qui préféraient suivre le discours du vainqueur. Ultime offense, alors que le discours de quarante-quatre minutes d'Obama avait été entièrement retransmis en direct, son discours à elle ne fut repris et diffusé que partiellement par les chaînes.

D'ailleurs, Obama était le chouchou de la presse : Hillary devait protéger son image laborieusement construite, alors qu'Obama était un visage frais et neuf, donc plus attirant. De plus, comme il était en grande partie inconnu avant la campagne présidentielle, il cumulait l'avantage de la nouveauté avec celui de la liberté puisqu'il pouvait façonner son image à sa guise, alors que Clinton portait toujours sur ses épaules le poids de ses anciennes batailles. CNN, jadis surnommé « Clinton News Network », était désormais attaquée par l'ancien Président pour son manque d'objectivité dans sa couverture des événements et sa préférence pour Obama. Bien entendu, ces batailles fraternelles à gauche faisaient le bonheur des républicains.

Le lendemain, Clinton a essayé de reprendre la situation en main en réunissant un groupe de petits et moyens donateurs potentiels à Hunter College. Néanmoins, elle en était au point où elle devait leur assurer que sa campagne se poursuivait, alors que normalement cela allait de soi. La même matinée, comme pour l'achever, deux super-délégués du New Jersey ont annoncé leur soutien à Obama, et déclaré qu'il était temps pour le parti de se rallier au vainqueur et d'en finir avec les luttes internes.

Le débat qui a suivi, le 21 février, s'est déroulé de la manière habituelle, Clinton usant des mêmes arguments. Elle n'a donc pas pu renverser la dynamique du débat – Obama avait le vent en poupe. Il est apparu encore plus crédible dans le rôle de chef des armées quand il réaffirma ses positions contre la guerre en Irak. Toute l'expérience de Hillary Clinton ne faisait pas le poids. Un débat centré sur la politique de la santé – thème cher aux clintoniens – a permis à Obama de faire valoir sa capacité à répondre avec précision à des questions concrètes. Il a aussi visé juste quand il a rappelé le slogan clintonien « Faire face à la réalité », comme si, disait Obama, « tous mes supporters, et toute la presse qui m'a annoncé son soutien, étaient des rêveurs ». Sur la notion fondamentale de changement, reprenant les propos de ce fameux discours qu'il aurait emprunté à Deval Patrick, elle attaque encore : « un changement qu'on peut photocopier », dit-elle, et non « un changement auquel on peut croire ». L'argument fut vite balayé par Obama qui expliquait que le gouverneur du Massachusetts était un ami et qu'il lui avait lui-même suggéré d'utiliser sa phrase. Clinton semblait presque accepter la défaite quand elle disait être honorée de débattre avec Obama, et qu'elle irait volontiers à ses côtés quelle que soit l'issue des primaires. Après le débat, il semblait que ses accusations de plagiat se soient retournées contre elle : une de ses phrases ressemblait à s'y méprendre à celle d'un discours final de John Edwards, et aussi à celle d'un ancien discours de son mari. Plus tard, Bill Clinton confirmait que Hillary devait remporter la victoire le 4 mars, au Texas et dans l'Ohio, pour pouvoir rester dans la course.

Barack avait eu raison en été, lorsque Clinton gagnait tous les débats, de dire qu'il allait apprendre et gagner vers la fin. Il apprenait vite. Même le *New York Times* notait à quel point le candidat Obama, présidentiable et sûr de lui, en février, était différent de celui des débuts – une évolution fulgurante qui a ravi les partisans des campagnes longues – elles donnent le temps aux candidats d'apprendre et donc d'offrir le meilleur d'eux-mêmes. La campagne d'Obama, qui avait commencé tel un brouillon dans un petit bureau délabré de Chicago, avait mûri pour se montrer dans toute sa splendeur, alors que chez Clinton, que l'on donnait gagnante au début, on ne trouvait que des erreurs – décisions stratégiques erronées, une focalisation sur les mauvais États, tout ce qui était admiré quelques mois auparavant était désormais fortement contesté.

Clinton et Obama étaient comme le renard et le hérisson – le renard s'applique à tout bien faire alors que le hérisson ne fait bien qu'une seule chose et s'y limite. Les gaffes d'Obama ne prêtaient pas à conséquence – même aussi délicates que celle de Michelle, sa femme, quand elle a dit que c'était la première fois de sa vie qu'elle était fière de son pays, une remarque de novice vite oubliée – alors que rien n'était pardonné aux Clinton. Ils savaient ce qu'ils faisaient – on chantait souvent les louanges de leur habilité politique. Obama, par contre, rappelait, dans l'inconscient collectif, le fameux film de Frank Capra *Mr Smith Goes to Washington* : gauche mais sympathique même après bien des maladresses, ce héros finit par changer Washington au lieu de se laisser façonner par la ville. Après tout, c'est ce que disait vouloir faire Obama.

Hillary était maintenant forcée de prendre des mesures d'urgence. Elle a dû rassurer ses donateurs sur ses pertes récentes en leur présentant un plan de bataille pour gagner les élections du Texas et de l'Ohio. Ses attaques lors d'un rassemblement à Providence, Rhode Island, devenaient de plus en plus mordantes : « Je pourrais juste me mettre là et commencer à dire : rassemblons-nous, unifions-nous. Les cieux vont s'ouvrir, la lumière va descendre, et un chœur céleste va chanter, chacun sera bon et le monde sera parfait... »

Hillary tenait pourtant à son stratège et directeur de campagne, Mark Penn, que le *New York Times* surnommait « le Karl Rove de Hillary ». Au fur et à mesure que les pertes s'accumulaient, les accusations fusaient – Hillary et sa campagne ressemblaient de plus en plus à Bush, par leur foi inébranlable dans leur propre rectitude et leur obstination à garder le même message. « Nous allons vraiment souligner la différence d'expérience », martelait Clinton, un message central depuis le début de la campagne. Penn tenait bon, espérant que les électeurs l'entendraient finalement.

Il s'est avéré également que Hillary avait moins de bureaux de campagne dans les différentes circonscriptions : elle s'appuyait sur des alliances avec les hommes politiques locaux, alors que l'équipe d'Obama faisait un vrai travail de proximité, mettant en place une structure qui était inexistante dans la plupart des États.

Dans le vingtième (et dernier) débat, du 26 février, les différences entre Clinton et Obama sont devenues encore plus saillantes. Clinton accusait Obama de manque d'expérience ; Obama rétorquait que la seule expérience valable n'était pas forcément celle de Washington, que sa position sur la guerre en Irak prouve sa capacité à gouverner – élégante manière de retourner l'argument en sa faveur.

Clinton soulignait l'importance d'augmenter les troupes en Afghanistan alors qu'elle commencerait à ramener les troupes dans les soixante jours. Obama renchérissait qu'il fallait être aussi prudent en en partant que l'on avait été imprudent en entrant. Les deux ont tourné autour de l'Alena (Accord de libre-échange nord-américain) qu'ils avaient soutenu dans le passé, très impopulaire dans l'Ohio.

Les deux concurrents ont également eu leur désormais traditionnel débat sur la politique de santé. Clinton, dont le plan d'assurance-maladie, comme celui d'Edwards, obligatoire, était accusée de défavoriser les plus démunis, en établissant des pénalités d'impôts pour les non-assurés. Selon elle, un tel projet ne saurait être qu'universel, afin d'éviter les énormes coûts des maladies négligées, et des malades accueillis aux urgences, qui pénalisaient le système dans son ensemble. Les récalcitrants seraient donc punis par un prélèvement d'impôts ou une ponction salariale. Obama réfutait l'idée d'un plan universel, au mépris, selon ses détracteurs, des 15 millions de laissés-pour-compte, dont on estimait qu'ils ne prendraient pas d'assurance si aucun mécanisme ne les y obligeait. L'approche d'Obama était fondée avant tout sur une régulation des coûts pour rendre l'assurance-maladie plus abordable.

Obama a tenté de se détacher de son image de beau parleur : « Je ne suis pas intéressé par les discours et les paroles. Je ne me présenterais pas... si je ne croyais pas pouvoir aider beaucoup de gens à atteindre le rêve américain. »

Il a insisté sur le fait que Hillary ne pouvait pas à la fois revendiquer les succès de l'ère Clinton et en rejeter les échecs. L'expérience qu'elle mettait en avant n'était pas tant celle de sénateur, qu'ils partageaient tous les deux, que celle de première dame. Obama s'est montré d'un calme royal, se joignant à Clinton dans sa réponse sur l'Alena (qu'elle ne se retirerait pas totalement de l'alliance mais tenterait de la renégocier). Calme, ferme et contrôlé, il est apparu plus présidentiable que jamais.

L'un des points forts du débat était la discussion sur le soutien accordé à Obama par Louis Farrakhan, leader musulman qui s'était montré antisémite. Le soutien de Farrakhan était plus un problème qu'autre chose pour Obama. Ce qu'il a vite désamorcé en déclarant qu'il renonçait et rejetait le soutien de Farrakhan. Dans les jours qui ont suivi, Hillary a dû désavouer une supportrice latine qui avait déclaré à la télévision texane ne pas vouloir voter pour Obama à cause de sa race – les Noirs n'ayant, selon elle, jamais soutenu les Hispaniques.

Quant à Obama, son héritage musulman continuait d'être à la une. Et ce pour plusieurs raisons : une photo sur laquelle il portait le turban circulait sur Internet ; l'équipe de Clinton avait très vite rejeté toute responsabilité concernant la diffusion de cette photo. D'ailleurs, Clinton avait elle-même porté les vêtements des pays qu'elle avait visités, notamment avec son mari. Toutefois, l'image d'un candidat à la présidence américaine en habit musulman éveillait toute sorte de peurs viscérales dans un pays traumatisé par le 11 Septembre et rappelait les racines d'Obama. Ce qui était censé être son plus grand atout sur la scène mondiale – ses racines multinationales – était encore un sujet sensible, surtout dans certains États. Un animateur de télévision qui présentait McCain lors d'une émission a en effet rappelé le deuxième prénom d'Obama, Hussein. Le candidat républicain rejeta aussitôt toute association avec lui. C'était un trait distinctif de cette élection que le deuxième prénom de l'un des candidats était explosif et ne pouvait pas être prononcé tout haut.

Ajoutant une note exotique à l'acrimonie de la campagne électorale, les anciens du village du Kenya d'où venait la famille d'Obama, très vexés par la controverse autour de sa photo en turban, ne pouvaient comprendre qu'une tenue traditionnelle, même si l'habit était somalien, puisse être considéré comme une insulte. Exprimant leur offense, ils ont offert une chance à Clinton de s'excuser et de « rétablir son honneur », menaçant dans le cas contraire de lui réclamer une indemnisation...

Clinton a tenté de se présenter comme une battante. Elle a fini par apparaître comme amère, attaquant la presse de favoriser Obama. La fameuse émission de télévision, *Saturday Night Live*, allait dans les jours suivants donner lieu à une parodie présentant Barack comme le favori et Hillary comme la bête noire des médias. L'accusation de Clinton avait donc fait mouche, et ne serait sans doute pas sans influence sur les électeurs.

La dernière tentative de Clinton concernait son vote sur la guerre en Irak. C'était la fois où elle est allée le plus loin dans les mea culpa, reconnaissant qu'elle regrettait son choix. John Edwards, qui avait aussi voté en faveur de la guerre mais s'en était excusé, l'avait accusé à plusieurs reprises de ne pas avoir fait de même.

La campagne se corsait – le lendemain, Obama atteint son millionième don. Clinton, dont la campagne était concentrée sur les grands donateurs, était loin de ces chiffres. N'arrangeant en rien ses affaires, le parlementaire John Lewis, superdélégué à la convention, a déclaré changer de camp. Après avoir soutenu Clinton en Géorgie, il était maintenant prêt à soutenir Obama. L'équipe de campagne de Hillary avait peur que le mouvement ne fasse que commencer : des rumeurs circulaient selon lesquelles ceux qui ne soutenaient pas Obama allaient faire face à une concurrence grandissante à leur propre réélection. C'était le cas de Lewis qui avait entendu que plusieurs adversaires annonceraient leur candidature s'il n'était pas du camp du vainqueur présumé. Lewis a été suivi par plusieurs autres superdélégués. Hillary n'arrivait toujours pas à y croire ; on avait l'impression désormais que les rats quittaient le navire...

Obama ne voulait pas crier victoire trop tôt : « N'oubliez pas le New Hampshire », rappelait-il aux journalistes. La campagne de Clinton avait en effet été tonifiée par la donation qu'elle avait faite elle-même en janvier ; depuis, les donations sur Internet, qui avaient été minimes au début, avaient explosé. Les femmes d'âge mûr, le cœur de son électorat, semblaient venir à sa rescousse comme à chaque fois – Hillary s'attirait beaucoup de sympathies et de soutien parmi elles depuis que Bill Clinton l'avait trompée, et plus encore en tant que première femme à pouvoir accéder à la présidence. Plus que les jeunes femmes, ce groupe avait été marqué par le féminisme, et regardait le poste de Président comme le dernier bastion à prendre. Le message est passé qu'elle manquait de fonds et, fin février, elle recevait environ un million de dollars par jour sur Internet.

Dans les jours précédant les élections au Texas et dans l'Ohio, plusieurs voix s'étaient élevées pour demander qu'on en finisse avec les tergiversations au sein du Parti démocrate pour se concentrer sur la bataille contre les républicains. Bill Richardson, gouverneur du Nouveau-Mexique, était parmi ceux qui ont suggéré à tout le monde de se ranger derrière le gagnant de ses élections pour éviter les divisions du parti à l'avenir. Barack Obama s'est bien entendu joint à ces voix, affirmant que celui qui était en avance devrait gagner l'investiture.

Pourtant, entre des fonds qui affluaient et un plan d'attaque loin du chapitre final, Clinton n'avait pas encore dit son dernier mot.

CHAPITRE 6

Un nouveau tournant

On disait que les élections du 4 mars étaient un mini-Super Mardi – deux grands États, considérés comme baromètre de l'humeur du pays, devaient voter. Rebondissement de plus : cette soirée a marqué le retour en tête de la campagne de Clinton qui a gagné l'Ohio avec 56 % des voix contre 42 %, Rhode Island (58 % contre 40 %), et finalement le Texas (51 % contre 48 %), après une attente pleine de suspense et un processus en deux étapes. En effet, le système électoral du Texas porte le nom de *primacaucus* : après une primaire où les électeurs votent dans les urnes, ils sont priés de se rendre au *caucus* le soir, s'exprimant ouvertement cette fois-ci. Obama, grâce à une meilleure organisation sur le terrain, a malgré tout gagné les primaires au Texas, en emportant plus de délégués que sa rivale, ce qui a presque neutralisé sa victoire texane. Mais en terme de suffrages, a su rassembler ses troupes et remobiliser les femmes, les Hispaniques et même les hommes blancs.

Les Hispaniques, qui constituent 34 % des électeurs au Texas, ont choisi Hillary à 67 %, se révélant un facteur clé de la victoire. Hillary Clinton, a bénéficié de la popularité de la présidence de Bill Clinton auprès des Hispaniques : une amélioration des conditions économiques, qui avait relevé leur niveau de vie, la signature de l'Alena et le sauvetage du Mexique pendant la crise économique de 1994 (la crise Tequila). Ils semblaient à l'origine de la victoire de Hillary en Californie, où l'électorat noir avait voté Obama et où l'électorat blanc restait divisé. Clinton semblait tenir les fidèles du parti, ceux qui votaient à chaque élection.

Obama, lui, était fort parmi les indécis, les jeunes et les déçus de la politique traditionnelle. Il a aussi bénéficié de son appel aux électeurs noirs, 20 % de la population, qui ont voté à 83 % pour lui.

Alors que Clinton l'emportait auprès des femmes blanches de vingt et un points, les hommes blancs étaient partagés entre les deux candidats. Obama était en tête parmi les hommes qui avaient fait des études supérieures, alors que Clinton avait été préférée par une majorité de ceux qui n'en avaient pas suivies. Ces derniers étant plus nombreux dans l'Ohio, cela expliquait les meilleurs résultats dans cet État.

Ce sont les électeurs du dernier moment qui ont joué un rôle décisif. Clinton avait réussi à prendre le contrôle de l'actualité, notamment avec un spot publicitaire qui la montrait répondant à un coup de fil à 3 heures du matin. Elle était maintenant le centre de l'attention – elle s'était posée en leader, plus apte à défendre le pays. (Par la suite, Obama n'allait pas rater une occasion d'en rajouter : « Et moi, qu'est-ce que les gens croient que je vais faire ? Je vais prendre cet appel... J'ai envie de savoir ce qui se passe ! »)

Le discours de Clinton n'a pas manqué de mettre en avant son rôle de « *comeback kid* » si cher à l'électorat américain : « À celui, ici dans l'Ohio et partout en Amérique, qui a été donné pour perdant mais a refusé la défaite. À celui qui a trébuché mais s'est relevé tout de suite, à celui qui travaille dur et n'abandonne jamais, cette victoire est pour eux. »

« Les Américains n'ont pas besoin de promesses, mais de solutions », a-t-elle lancé contre Obama.

Dans son discours, elle s'est empressée de souligner qu'elle emportait tous les grands États industriels où la bataille avec les républicains se jouerait à l'automne : Obama avait beau être fort dans les petits États, ils seraient de toute manière emportés par les républicains. Ainsi, Clinton se déclarait une meilleure candidate pour gagner les États qui compteraient vraiment.

Finalement, Hillary avait droit aux confettis.

Pourtant, Obama avait toujours de l'avance en nombre de délégués. Il a parlé cette nuit-là de rétablir dans le monde, la fierté de se dire américain. Éloquent, comme d'habitude, il a voulu également centrer son discours sur les préoccupations quotidiennes des habitants. C'était comme s'il prenait position déjà contre McCain plutôt que contre Clinton, comme s'il avait déjà gagné l'investiture.

Obama aurait pu souffrir des conséquences de son association avec Tony Rezko, un homme d'affaires et entrepreneur immobilier de Chicago accusé de corruption. Même s'il n'avait fait que quelques heures de travail pour Rezko du temps où il était avocat, les deux hommes se connaissaient de longue date – Rezko était un donateur de taille dans les circuits politiques de Chicago et avait régulièrement contribué aux campagnes d'Obama. Les deux familles ont acheté des maisons l'une à côté de l'autre à Chicago, et la femme de Barack a fini par racheter une parcelle de terrain aux Rezko pour agrandir le jardin. Même si aucune accusation n'avait été faite à l'encontre d'Obama, l'association n'était pas favorable à ses discours sur une vision nouvelle de la politique, loin des manigances et de la corruption typiques de Washington. C'est ce message de renouveau qui faisait le charme d'Obama ; or, entendre son nom à côté de celui de Rezko soulevait des doutes sur la sincérité de telles déclarations. Si Obama et les Clinton, c'était du pareil au même, les démocrates préféreraient encore les Clinton, qu'on connaissait. Le procès de Rezko avait commencé la semaine avant les élections du 4 mars et attiré une attention considérable de la part de la presse.

La course allait donc continuer : toutes les prédictions d'une fin rapide des primaires venaient de s'effondrer. La plus grande étape était désormais la Pennsylvanie et il semblait probable que les primaires continueraient jusqu'en avril. Dans ces élections, chaque étape semblait décisive, et pourtant le suspense continuait. Le coup final serait le rétablissement des primaires en Floride et dans le Michigan sur lesquelles les candidats ne comptaient pas jusqu'à présent. Finalement, aucun des candidats ne pourrait gagner l'investiture sur le vote populaire uniquement ; les superdélégués joueraient les arbitres, même s'ils allaient se voir forcés, sauf cas de tollé général, de concilier plutôt que diviser.

Obama avait 101 délégués d'avance, 1 562 contre 1 461 pour Clinton. Il avait aussi 241 superdélégués à son compte contre 202 pour Clinton, mais 350 délégués ne s'étaient pas encore prononcés, ce qui laissait une marge de manœuvre énorme. Des voix s'élevaient de plus en plus pour réclamer que les superdélégués se prononcent sur la base du vote populaire. Avec des règles susceptibles de changer, la Floride et le Michigan qui pourraient rentrer en jeu, tout était encore possible.

Forte de son nouvel avantage, Clinton a commencé à parler d'un ticket Clinton-Obama, même si la position des candidats était loin d'être claire. Sa stratégie était de s'en remettre aux superdélégués, dont beaucoup étaient des fidèles du parti et des Clinton. Hillary abordait devant les journalistes de nouvelles questions et les nouveaux défis qui lui incombaient. Maintenant il était dans l'intérêt de Clinton de prolonger le débat, alors qu'Obama disait le contraire – selon lui, le parti souffrirait si les disputes internes duraient jusqu'à la convention à Denver, en août. En un ou deux mois, la situation s'était inversée.

Obama, lui, n'a pas hésité à s'en prendre aux compétences de Clinton en matière de politique extérieure. « Quelle est exactement son expérience diplomatique ? lançait-il avec une note de dépit après ses derniers résultats. Est-ce qu'elle a négocié des traités ? Est-ce qu'elle a géré des crises ? » Son équipe de campagne a aussi commencé à questionner l'absence dans le domaine public de la déclaration d'impôts de Clinton, alors que celle d'Obama était disponible. Il avait l'impression que la campagne négative de Clinton avait joué un rôle dans les résultats. Il refusait aussi la notion d'un ticket commun, concentré qu'il était sur l'investiture avant tout.

L'autre grand événement de la journée du 4 mars fut le désistement de Mike Huckabee qui laissait la voie libre à l'investiture de McCain. Ce qui va compter désormais est la compétition contre les républicains. Il est clair que les démocrates, quel que soit le candidat nominé, vont tenter d'assimiler les politiques de Bush et de McCain – le spot publicitaire « McSame », qui tourne en dérision sa similitude avec Bush en est un exemple.

Un élément inattendu s'était introduit dans la campagne le 24 février – Ralph Nader avait annoncé sa candidature, ce qui changeait la donne et risquait de couper les candidats dans leur élan. Bien des démocrates accusaient Nader d'avoir fait cadeau de l'élection aux républicains en 2000 et 2004 – ses positions, à l'extrême de la gauche américaine, enlevaient aux démocrates des électeurs précieux dans une course serrée.

Le choix de celui qui mènera cette campagne à terme dépend de la manière dont les démocrates vont se sortir de cette impasse. Jamais on n'avait vu de primaires aussi disputées – passions fortes, injures qui fusent, divisions très marquées. Ce qui paraissait être revigorant pour le socle démocrate pourrait finalement nuire au succès du parti : si un candidat est choisi par les apparatchiks du parti, à l'encontre du vote populaire, une grande partie des électeurs pourrait en être tellement déçus qu'ils ne se déplaceraient plus le jour des élections finales, donnant ainsi une victoire aux républicains. La fracture pourrait être particulièrement aiguë si la répartition s'opérait d'après le genre sexuel et la couleur de peau – des leaders noirs, tel Al Sharpton, ont déjà annoncé leur intention de retirer leur soutien à tout ticket démocrate qui ne respecterait pas les proportions du vote populaire. Il serait particulièrement cynique pour les démocrates qui se sont tellement battus contre la victoire de Bush en Floride en 2000 sur un détail purement technique d'appliquer les mêmes règles à leur propre parti. Le tollé serait encore pire si les clintoniens s'efforçaient de faire changer d'avis, comme la rumeur le dit, les délégués choisis par les électeurs.

La question du vote populaire, elle, va dépendre des résultats du Michigan et de la Floride qui risquent de rentrer en jeu et de servir d'arbitres : même si Clinton y a gagné un premier tour, « qui ne compte pas » (Obama n'était même pas sur les bulletins de vote dans le Michigan), l'introduction d'un *caucus* risque de favoriser Obama. En effet, celui-ci continue à être en tête par le vote populaire, sans compter le Michigan et la Floride, ainsi que par le nombre des délégués élus, mais Hillary Clinton n'a pas l'habitude de se laisser prendre au dépourvu et va se battre bec et ongles pour sa survie politique. « Nous continuerons, et nous continuerons jusqu'au bout » – son message après le scrutin texan a été clair.

Un autre élément important de la campagne est l'envie d'Obama d'être plus agressif. Rejoindre Clinton sur le ring revient à oublier ses promesses d'un débat différent. Son charme pourrait y succomber. D'un autre côté, tenir une position trop dure laisse le champ libre à Clinton pour porter des coups bas, elle qui trouve que « c'est là que les choses deviennent amusantes ». Les accusations d'être trop mou ne vont pas manquer de fuser. L'ambivalence de Samantha Power, auteur de renom et membre de la campagne d'Obama, qui a qualifié Clinton de « monstre » et a dû démissionner par la suite, montre bien les tensions au sein de l'équipe à cet égard. La stratégie de campagne de Clinton consiste à soumettre Obama à une course d'obstacles, et ce jusqu'à la convention – qu'il accepte les règles de cette « politique sale » qu'il réprouve, ou qu'il reste impassible et marque des points, le but est de faire mouche.

Il n'en reste pas moins qu'Obama a le pouvoir d'attirer à lui aux élections de novembre les partisans de Clinton, l'inverse n'étant pas vrai, Hillary ayant sans doute peu d'attirance pour les jeunes et les indépendants. Signe des temps, les conservateurs, dont Rush Limbaugh, n'ont cessé d'appeler les républicains à voter Clinton, pour des raisons stratégiques : un parti démocrate qui s'enlise dans la division pourrait apporter la victoire aux républicains sur un plateau, et Clinton est considérée comme une adversaire moins redoutable qu'Obama, moins apte à enthousiasmer les électeurs et à provoquer une déferlante.

Les primaires de 2008 sont pleines de rebondissements : chaque fois que l'on en annonce la fin elles trouvent un nouveau moyen d'accaparer l'attention. La bataille s'annonce rude et est loin d'être terminée – pourtant, quelle que soit l'issue finale du combat, Barack Obama aura changé le paysage politique américain à tout jamais.

Figure emblématique, il a tout le potentiel pour devenir un Kennedy, un Roosevelt ou un Reagan, qui ont chacun su amener l'Amérique dans une nouvelle direction. Franklin Delano Roosevelt, président à l'optimisme infaillible, a su nouer des liens indéfectibles avec le peuple malgré ses origines aristocratiques et une vie qui n'était pas dénuée de privilèges. Affirmant que l'on n'avait rien d'autre à craindre que la crainte elle-même, il a su rester dans l'imaginaire des Américains. Kennedy, président jeune à l'aube d'une nouvelle ère, avec sa ravissante femme et ses jeunes enfants, avait su insuffler à son pays un nouvel esprit et attirer toute une génération vers le service public. C'est plus sa personnalité et l'esprit de son temps qui lui ont réservé une place au panthéon des présidents américains car il a été assassiné avant d'avoir pu réaliser son programme – assassinat qui en lui-même a contribué à faire de lui une légende. Franklin Delano Roosevelt et Ronald Reagan, eux, ont laissé une empreinte décisive sur les États-Unis en mettant en place des nouvelles politiques économiques et en déplaçant le paysage politique du pays, plus à gauche dans le cas de Roosevelt et plus à droite dans le cas de Reagan. D'ailleurs, Obama lui-même se réclame de Reagan, même s'il se voit renverser les valeurs établies par l'ère Reagan : « Ronald Reagan a changé la politique de manière fondamentale. J'ai été critiqué par les Clinton pour l'avoir dit, mais c'est un fait : il y a eu un réalignement et c'est un cadre de pensée conservateur qui a dominé pendant les vingt-cinq dernières années. Je crois que nous sommes en position de le changer. »

Pour l'instant, rien n'a su briser la fascination pour Obama. Qu'il obtienne l'investiture démocrate ou pas, qu'il devienne Président ou non, cette fascination en dit long sur la société américaine et les rêves qu'elle poursuit. Ce rêve américain bien différent aujourd'hui du matérialisme du siècle passé, est plus idéaliste et exalté, vise à faire de la politique une « chose commune ».

III

Les facteurs de succès

CHAPITRE 1

Obama et sa génération d'hommes politiques

Obama parle souvent de sa capacité à rassembler des forces diverses, à établir un consensus pour le changement, et même à réconcilier les contraires. Au-delà de son caractère personnel, c'est cette puissance fédératrice qui fait le personnage. Alors que l'on imagine parfois Obama comme un cas isolé, il fait en réalité partie de toute une génération montante d'hommes politiques noirs.

Ceux-ci ont plusieurs choses en commun : ils sont jeunes (moins de soixante ans), démocrates, ont fait de bonnes études (ils sont issus des meilleures universités du pays), souvent avocats, portent un message d'optimisme et d'unité – et sont souvent accusés de « ne pas être suffisamment noirs ». Il s'appellent, par exemple, Harold Ford Jr., du Tennessee, candidat sénatorial qui a prononcé un discours à la convention démocrate de 2000 ; Adrian Fenty, maire de Washington ; le fameux maire de Newark, Cory Booker ; le gouverneur du Massachusetts, Deval Patrick ; Artur Davis, membre du Congrès de l'Alabama ; le maire de Philadelphie, Michael Nutter ; ou encore le parlementaire Jesse Jackson Jr.

Cette nouvelle génération ne correspond pas à l'image d'Épinal de l'homme politique démocrate, elle pratique la pensée indépendante, ce qui se traduit par des écarts de taille par rapport à la « ligne du parti ». Par exemple, Cory Booker soutient le système des coupons de paiement qui permet à des couches variées de la population d'envoyer leurs enfants à l'école privée, chose inconcevable pour certains. Ford et Davis s'opposent au mariage homosexuel, pourtant largement accepté parmi les démocrates. Et ils nomment des Blancs à des postes à responsabilité, tels le chef de police de Newark ou le conseiller à l'Éducation nommé par Fenty.

Ils sont bien différents des vieux leaders noirs, ceux qu'on appelle les croisés de la lutte pour les droits civiques. Les plus connus sont certainement Jesse Jackson père, et Al Sharpton, mais il y a aussi les parlementaires John Conyers, du Michigan, Charles Rangel, de New York, Bennie Thompson, du Mississippi, ou encore John Lewis, de Géorgie, qui a retiré son soutien à Hillary Clinton au profit de Barack Obama, marquant le début d'une tendance de changements d'opinion. Ils ont apporté avec eux la grande fierté des acquis des années soixante, être des hommes de pouvoir noirs. En revanche, ils n'ont jamais su trouver un soutien parmi les Blancs. Qu'un noir accède à la Maison-Blanche est pour beaucoup d'entre eux une mission historique, l'aboutissement logique et naturel de la lutte pour les droits civiques. Mais le prix, pour certains, est trop lourd à payer – pour vaincre les représentants du pouvoir blanc, faut-il devenir un Blanc à la peau noire ?

Est-ce que le fait d'être noir n'a vraiment pas d'importance, dans une société « postraciale » qui se voudrait « indifférente à la couleur » ? En effet, cette question a été posée lors de la fameuse émission de télévision *Saturday Night Live*, où le rôle d'Obama dans un sketch parodique était joué par un acteur blanc. Si un acteur noir peut jouer Hamlet dans une société qui ne fait plus attention à la couleur de la peau, est-ce que le rôle d'un homme politique noir peut être joué par un acteur blanc ? Est-ce qu'être « indifférent à la couleur » va dans les deux sens ou est-ce que la couleur est trop chargée du poids du passé pour être négligée ? Être noir renvoie-t-il toujours à une culture – le jazz, la musique, le talent du rythme et une facilité pour la danse ? On peut rire du mot d'Obama lors d'un des débats dans lequel il mettait en doute la « négritude » de l'ex-président Clinton en l'absence de la démonstration de ses qualités de danseur... Ou bien, autre hypothèse encore, est-ce que le fait d'être noir implique une certaine manière de vivre, être proche de la rue, goûter à la drogue, s'habiller dans le style des jeunes des quartiers ? À différentes étapes de sa vie, Obama a joué avec toutes ces définitions possibles avant de trouver la sienne propre.

Dans la discussion sur le pouvoir noir, c'est bien l'approche de cette identité qui est en question – assimilation ou singularité par rapport à la société. Pour les leaders noirs, atteindre le pouvoir au prix de l'intégration – et donc au risque de se faire absorber par la société est un prix trop lourd à payer. Ils en restent à privilégier la « culture noire », même si cela retarde l'accession des Noirs au pouvoir.

Jason C. B. Lee, le président honoraire de l'Association des Noirs de Harvard, qualifie impitoyablement Obama de « leader qui est noir, plutôt que leader noir ». Ce débat n'est pas sans rappeler John F. Kennedy, fustigé jadis pour être un homme politique, dont le catholicisme est un accident, plutôt qu'un homme politique catholique à proprement parler.

Malgré ces accusations, la présidence de Kennedy a mis fin à la domination historique des WASP (Blancs protestants anglo-saxons) et a fait pénétrer les catholiques au cœur de la société et du pouvoir américains. Dans ce cycle électoral, sept prétendants sur dix-sept à la présidence se déclaraient catholiques. Le sujet n'a même pas fait surface durant les débats. Si Obama accomplit la même chose pour les Noirs, son rôte aura été réellement historique.

La méfiance qu'il suscite chez certains, et peut-être l'attirance chez d'autres, vient du fait qu'il n'est pas l'« héritier des esclaves et de la lutte pour les droits civiques », et donc qu'il n'est pas « censé savoir ». Son message de réconciliation nationale serait pour lui « chose facile » car Obama ne correspond pas au stéréotype du « jeune homme noir en colère ».

C'est ainsi que certains leaders noirs de la vieille génération, tels Charlie Rangel, de New York, ou Sheila Jackson-Lee, du Texas, ont préféré donner leur appui à Hillary Clinton, malgré leur propension à donner à la couleur de peau une grande importance dans les choix politiques. Au contraire, Oprah Winfrey, un exemple de la réussite noire, a clairement donné son soutien à Obama et lui a apporté bon nombre de voix – non seulement parmi les Américains de souche mais aussi chez les Afro-Américains.

Un exemple phare de la nouvelle génération de leaders noirs et quelqu'un qui pourrait avoir également une ambition sénatoriale – et pourquoi pas présidentielle un jour ? – est le très charismatique maire de Newark, Cory Booker. Fils de deux militants des droits civiques qui étaient parmi les premiers Noirs à travailler chez IBM, il a fait des études brillantes à Stanford, Oxford et Yale, et a décidé de faire de la politique à Newark, ville pauvre du New Jersey au taux de criminalité élevé. Sa bataille électorale contre Sharpe James, qui était maire à Newark de longue date, est un exemple de la lutte des générations. « Il faut lui apprendre à être noir, vociférait Sharpe James, et ça ne se fera pas en un seul jour... »

Pour sa première candidature, Booker a perdu à 47 % des voix contre 53 % pour Sharpe James. Mais, au lieu de partir à Trenton, capitale du New Jersey où un grand nombre de portes s'ouvraient à lui, il a choisi de rester à Newark et de se représenter aux élections suivantes. Sharpe James, croulant sous des accusations de corruption, a choisi de ne plus se représenter, et Cory Booker a pu remporter les élections à son deuxième essai. Il n'a pas tardé à annoncer un plan de cent jours pour mettre en place des réformes. Il incarne aujourd'hui l'espoir de faire renaître Newark, capitale du crime, comme New York l'était dans les années soixante-dix. Tâche bien difficile – déjà le taux d'homicides commence à baisser, mais Booker aura encore bien des obstacles à franchir. Pourtant, s'il réussit, tout lui sera permis...

Booker a toujours vécu, et continue à vivre même en tant que maire, dans les quartiers les plus pauvres, ceux qu'il espère changer. Objet de menaces de mort, il est obligé d'être protégé par des gardes du corps vingt-quatre heures sur vingt-quatre. Sa mère confie qu'il l'aide à rester humble, car elle se met toujours à genoux, priant pour que rien ne lui arrive.

Cory Booker avoue avoir d'abord été méfiant quand il a recontré Barack Obama, une rencontre arrangée par Gayle King, la meilleure amie d'Oprah Winfrey. Au fur et à mesure de leur conversation dans le Hilton de Newark, il s'est laissé convaincre. « Lui aussi a été traité de gosse blanc », confie Booker...

Deval Patrick, premier gouverneur noir du Massachusetts et ami d'Obama, est un autre exemple. Né dans les quartiers sud de Chicago, où Barack a passé ses années de jeunesse, il a fait ses études à Harvard, travaillé pour les Nations unies en Afrique et pour l'administration Clinton. Prenant position contre la peine de mort et en faveur du mariage homosexuel, il est devenu le symbole d'un gouvernement local plus transparent et proche des citoyens. Acte symbolique, il a prêté serment sur la bible de l'*Amistad*, le légendaire navire espagnol qui transportait des esclaves africains. À son égard, on a parlé d'« effet Deval », nouvel enthousiasme pour l'engagement civique.

Adrian Fenty est devenu, à trente-cinq ans, le plus jeune maire de la capitale fédérale, et seulement le deuxième natif de Washington à être élu à ce poste. Quand il était petit, son père est resté à la maison pendant un moment pour s'occuper de ses trois fils, alors que sa mère était institutrice. Plus tard, ses parents ont ouvert un magasin de chaussures. Moitié noir, moitié blanc, comme Obama, il a également connu une ascension fulgurante qui est loin d'être terminée et avoue que ces origines métissées lui donnent une meilleure appréciation des différences d'opinions. Il a fait ses études à Howard, une université noire de renom, avec le même souci d'exploration identitaire qui a animé Obama. Il a pu battre aux élections Linda Cropp, vétéran de la politique locale, qui bénéficiait du soutien du maire sortant, avec une marge de vingt-six points. Autre similitude avec Obama, il est le premier homme politique local à rassembler par-delà la couleur de la peau et le niveau économique ; dans sa campagne puis son gouvernement, il a pu bâtir une coalition solide issue de couches de population très différentes. Fort de sa nouvelle approche au gouvernement de la ville, accessible et populaire, il n'hésite pas à encourager les citoyens à se joindre à lui pour son jogging matinal. Le *Washington Post* écrit de lui, pendant les élections, qu'il n'essait pas de créer l'image d'une jeune candidat plein d'énergie mais qu'il *est* un jeune candidat plein d'énergie. Infatigable, il peut battre le pavé en campagne pendant des heures, fait ses quatre-vingt à cent kilomètres hebdomadaires à vélo, nage plusieurs kilomètres une ou deux fois par semaine et est toujours au rendez-vous pour son jogging à 6 heures du matin. Il préfère ouvertement la compagnie des électeurs à celle de ses collègues hommes politiques, et est connu pour taper furieusement sur son BlackBerry pendant les réunions qui se prolongent. C'est son père qui lui a donné le goût de l'effort mental et des marathons. Dans une course, il ralentissait pour être au même rythme que ses trois fils. Aujourd'hui, ils font toujours des marathons ensemble – Fenty fait de son mieux, passe la ligne d'arrivée puis revient sur ses pas pour faire les derniers kilomètres avec son père.

Harold Ford Jr., parlementaire du Tennessee, est une autre star montante. Élu au Congrès à l'âge de vingt-six ans, il a été décrit par Bill Clinton comme « l'incarnation vivante de la direction que les États-Unis devraient prendre au XXIe siècle ». Vice-président potentiel en 2004, il a finalement été écarté au profit de John Edwards car il aurait eu quatre mois de moins que l'âge requis, trente-cinq ans, le jour de l'investiture à la vice-présidence. Il a aussi été pendant un moment concurrent de Nancy Pelosi au poste de porte-parole des démocrates au Congrès, menant ainsi, avant l'heure le combat entre un candidat de couleur et une femme. Métis, on lui a reproché d'avoir la peau « plus jaune que noire », allusion à son attitude centriste et à l'appui d'une population diversifiée. Démocrate, il est pourtant contre le mariage homosexuel, pour le port d'arme, contre l'impôt sur l'héritage, et pour un amendement à la Constitution interdisant de brûler le drapeau américain. Témoin de ses racines sudistes et de son orientation centriste, il va encore plus loin – il est favorable à l'affichage des dix commandements dans toutes les salles de procès du pays, avance que davantage de troupes auraient dû être envoyées en Irak et propose de fermer la frontière avec le Mexique. Selon lui, la génération de son père n'avait qu'un seul outil, le marteau, alors que la nouvelle génération peut s'équiper de toute une caisse à outils.

Venir du fin fond du Sud est pour les démocrates un gage de réussite – tels Bill Clinton, Jimmy Carter et Lyndon Johnson –, cela évite d'être cantonné aux États traditionnellement libéraux des deux côtes est et ouest.

Fils du parlementaire Harold Ford, il dit ne pas avoir eu le choix, enfant, dans trois domaines : faire ses devoirs, aller à l'église et participer à des campagnes politiques. Son père se souvient avec humour des premières revendications politiques de son fils si doué, demandant avec brio à la radio de Memphis de meilleures écoles, de meilleurs logements, et « des gâteaux moins chers ».

Le nouveau maire de Philadelphie, Michael Nutter, a été élevé dans un quartier pauvre de la ville, est allé à Wharton, la meilleure école de commerce américaine, et a fait de la finance avant de choisir le service public. Il a été miraculeusement catapulté de la dernière place à la première dans une course électorale pleine d'animosité, où ses adversaires lui reprochaient d'« avoir à se souvenir qu'il est noir » et d'être trop élitiste. Son électorat de base est avide de changement, par-delà les barrières culturelles et socio-économiques, et rejette les magouilles politiques, courantes à Philadelphie.

Fils d'un plombier et d'une employée d'une société de télécommunications, il a grandi dans une famille qui « ne tolérait pas le langage des ghettos » et a pu gagner une bourse à Saint Joseph, école de jésuites prestigieuse, mais dit avoir religieusement suivi la maxime de Mark Twain selon laquelle il ne fallait pas laisser l'école aller à l'encontre de l'éducation. Trop jeune pour avoir peur, il a pu rencontrer les hommes politiques locaux dans la boîte de nuit où il travaillait pendant ses années d'études.

C'est donc bien la convergence de deux facteurs qui rendent la candidature d'Obama possible, et son élection probable – un racisme en baisse, selon certains en voie d'extinction, et l'émergence d'une nouvelle classe d'hommes politiques noirs qui savent rassembler et prennent position dans l'intérêt de tous plus que d'un seul groupe. Ainsi dans le cas des « six de Jena [1] », où les accusations de discrimination faisaient rage, Obama s'est gardé de prendre parti, disant qu'il s'agissait plus d'une distinction entre bien et mal qu'entre Noirs et Blancs. Pour garder l'objectivité, Obama se montre d'une prudence extrême là où les questions de race sont impliquées. Une différence clé par rapport à la vieille génération qui avait fait des problèmes de la communauté noire leur principal cheval de bataille.

Un exemple de différence entre les deux générations est le contraste entre Jesse Jackson et son fils Jesse Jackson Jr. Alors que le leader charismatique de la vieille génération reprochait à Obama de « se comporter comme un Blanc », son fils a rétorqué dans un article du *Chicago Sun Times* : « Tu as tort sur Obama, papa... »

---

1. Dans la petite ville de Jena, en Louisiane, six lycéens noirs, les « six de Jena », ont été inculpés pour tentative de meurtre envers un lycéen blanc qu'ils avaient agressé. Depuis les débuts de l'affaire en 2006, les mouvements pour les droits civiques dénoncent une justice à deux vitesses (N.d.E.).

CHAPITRE 2

« La féroce urgence du moment »

« Je présente ma candidature à cause de ce que le docteur King a appelé “la féroce urgence du moment”, car je crois qu’il existe une situation où l’on peut agir trop tard – et cette situation est presque arrivée. Amérique, notre heure est arrivée. »

C’est ainsi que Barack Obama résumait les raisons de sa candidature fin janvier 2007 dans son discours du dîner Jefferson-Jackson, célèbre réunion du Parti démocrate et dîner de levée de fonds. L’expression « féroce urgence du moment », Martin Luther King la prononça quand il parla, le 4 avril 1967, dans l’église Riverside, à Manhattan, avec éloquence, de la guerre du Vietnam : « Nous devons faire face au fait, mes amis, que demain est déjà aujourd’hui. Nous sommes confrontés à la féroce urgence du moment... La procrastination est toujours le voleur du temps. La vie nous laisse là, tout nus, découragés par cette possibilité perdue. Nous pouvons implorer le temps de s’arrêter sur son passage, mais le temps demeure imperturbable et continu de s’écouler. Sur les os décolorés et les résidus mélangés de nombreuses civilisations sont écrites ces paroles pathétiques : “Trop tard.” »

Martin Luther King lie son discours à l’idée de survie d’une civilisation – ni plus, ni moins. Comment comprendre cette idée dans le contexte de notre époque ? Qu’est-ce qui a à la fois incité Obama à mener campagne et à y préparer le pays ? Plus fondamentalement, en quoi semble-t-il avoir visé juste ?

Après huit années de gouvernement Bush, le pays est fatigué. Attaques sur les libertés civiles, accusations de torture, malversations et corruption pendant la guerre en Irak – les nouvelles devenaient de plus en plus accablantes alors que la guerre semblait se prolonger. Face à la possibilité que l’Irak devienne un problème lancinant pendant les « cent ans » que McCain était prêt à y consacrer, les Américains n'avaient plus l'impression de gagner au change. Pour paraphraser la fameuse phrase de Churchill, il semblait que l'Amérique ait choisi la guerre pour avoir le déshonneur en sus.

Depuis la crise économique de l'été 2007, les Américains ne se sentaient plus maîtres du monde. Le fait d'avoir gagné la guerre froide, d'être restés la seule superpuissance (« pays indispensable », selon le mot de Bill Clinton, souvent repris par Madeleine Albright), tout cela n'avait que peu d'importance pour le quotidien de l'Américain moyen. La récession presque imminente, le marché immobilier en chute, les marchés financiers frôlant le krach avec le « *credit crunch* » (la crise de l'emprunt), l'ambiance était morose.

Même les républicains invétérés ne cachaient plus leur désenchantement. L'absence de responsabilité fiscale des républicains avait été mal comprise par une frange du parti pour qui c'était une valeur clé. Les réformes promises par les néoconservateurs, censées revigorer le pays, n'avaient pas eu lieu. Le thème du changement, dont s'était emparé Gingrich avec son appel au « changement réel », semblait leur échapper.

En même temps, face à la montée des problèmes, le paysage politique américain était plus que jamais divisé. Les appels à un gouvernement d'ouverture, à une approche plus bipartite après l'élection de 2000, issue d'un malentendu et évacuée d'une simple formalité, étaient tombés dans le vide. Les élections du Parlement en 2006, qui ont amené un raz-de-marée démocrate, n'ont changé les choses qu'en établissant un conflit entre pouvoirs législatif et exécutif, constant à Washington. Au Congrès lui-même, les divisions entre les démocrates semblaient grandissantes.

Pourtant, au-delà de l'alternance politique, le pays a soif de nouvelles perspectives. À l'aube du XXIe siècle, l'Amérique est enfin prête pour une élection historique – avec un affrontement sans précédent entre une femme et un Afro-Américain. Après la diabolisation de l'Amérique pendant les années Bush, ces élections lui donnent enfin une chance de se regarder dans le miroir, d'être de nouveau en première ligne du progrès politique et de se réclamer à nouveau des valeurs de ses fondateurs. Les années Bush avaient laissé peu d'espace pour celles-ci, et se passer de cette image vertueuse et idéaliste a été perçu par les Américains comme une défaite de plus.

Shelby Steele [1] voit en effet en Obama un « nègre emblématique » (« *iconic negro* »), celui qui redonne bonne conscience à l'Amérique blanche en lui offrant la possibilité de montrer qu'elle n'est pas raciste, et en dépassant son passé ségrégationniste. Si c'est en effet sur la base de la culpabilité que l'Amérique pourrait choisir son Président, celle envers les Noirs semble être plus grande que celle envers les femmes.

Obama s'appuie donc sur ces valeurs fondamentales que l'Amérique croit siennes. Ce n'est pas par hasard qu'il cite Abraham Lincoln parmi ses héros préférés, avec Martin Luther King et le Mahatma Gandhi. « Même si j'ai un nom inhabituel et un parcours atypique, mes valeurs sont essentiellement américaines », n'hésite-t-il pas à rappeler. C'est comme si sa candidature, sa vision de la politique faite d'honnêteté et de candeur et le rêve qu'il propose ramenaient l'Amérique à ce qu'elle a été jadis – ou en tout cas voulu se croire – et qui a été obscurci par les années Bush.

Pourtant, le changement d'humeur du pays va bien plus loin que le mécontentement relatif à la guerre, l'incertitude économique, ou encore la culpabilité inconsciente de l'Amérique par rapport à son histoire et la volonté de se refaire une innocence. Tout cela, bien qu'exact, ne saurait expliquer l'enthousiasme viscéral des foules, qui était déjà là en grande partie lors des élections de 2004, pourtant gagnées par le républicain (même si Kerry était un personnage bien moins inspirant).

Obama joue le rôle d'un miroir où peut se refléter la profonde division de la société américaine. En offrant plusieurs reflets à la fois, il apporte la possibilité de se sentir réunis. Tocqueville avait déjà remarqué le sempiternel individualisme des Américains, son éclatement en une multitude de sous-groupes, une sorte d'isolationnisme spirituel qui les amène à poursuivre leurs propres desseins plus qu'à s'inspirer des conventions ou règles de groupes sociaux

1. Auteur d'un livre intitulé *A Bound Man : Why We Are Excited About Obama and Why He Can't Win*, Free Press, 2007 (N.d.E.).

établis. L'individualisme est un sentiment réfléchi qui dispose chaque citoyen à s'isoler de la masse de ses semblables de sorte que, après s'être créé un petit milieu à son usage, il abandonne volontiers la grande société à elle-même.

Tocqueville a brillamment analysé ce qui serait le fondement de la société démocratique d'aujourd'hui – une fragmentation extrême de ce monde hérité des Lumières qui était unifié par des valeurs partagées et une vision commune, au profit d'une parcellisation sans fin qui conduit à la solitude extrême, puisque sa limite est l'individu lui-même. Cette dissociation est ethnique, notamment avec des groupes menant une vie pratiquement de leur côté, ou encore démographique, avec une stratification sociale de plus en plus complexe quoique permettant une mobilité énorme.

Le postmodernisme a bien vu ces tendances centrifuges et a pu les exprimer à travers un vaste champ, de la philosophie jusqu'aux œuvres d'art. En effet, la pensée postmoderne se voit libérée de la nostalgie de la cohérence, de l'unité et du sens qui affecte la pensée moderne. Valéry disait déjà que l'absence de sens était une idée forcément libératrice, nous permettant de trouver (ou pourquoi pas d'inventer?) un sens nous-mêmes. De même, le postmodernisme refuse de se lamenter sur l'idée d'incohérence et de fragmentation mais choisit de la célébrer – il rejette l'idée romantique selon laquelle cette fragmentation est un incident tragique, mais voit plutôt en elle un trait fondamental sinon de la condition humaine, du moins de notre époque.

De même, dans l'idéologie politique populaire, on observe de plus en plus un rejet de la fausse cohérence, de l'idée que l'on peut se réclamer d'une seule classe ou d'une seule tendance. John Edwards en est peut-être l'exemple durant ce cycle électoral : champion d'une idée singulière – la lutte contre la pauvreté et la défense des plus démunis de l'Amérique, il n'a jamais pu se débarrasser des soupçons de ne pas être authentique – le fait d'habiter dans une maison d'à peu près 2 800 m^2 et d'être multimillionnaire y était peut-être pour quelque chose.

L'un des traits saillants de la vision postmoderne d'Obama est par exemple son utilisation du langage. Alors que l'on pourrait parler de la réémergence du « grand récit » dans ses discours, ce récit est pourtant bien différent de celui de la droite conservatrice, laquelle est vraiment nostalgique d'une société à l'ancienne, cohérente et stratifiée. Un aspect essentiel des discours d'Obama est en effet un certain degré d'abstraction, dissociant signifiant et signifié. Alors qu'il parle d'unité et de rassemblement, ces valeurs semblent plus basées sur l'acceptation de la diversité et de la différence que sur un projet commun clairement défini. C'est là une approche fondamentalement contraire à celle des évangéliques qui espèrent réellement ressusciter l'idée d'un grand récit englobant, qui gommerait toutes les particularités sous sa chape de plomb, et où tout le monde devrait obligatoirement s'opposer à l'avortement ou au mariage homosexuel. Rien de tel chez Obama – on peut croire au mariage ou non, être chrétien ou non, défendre l'Alena ou non, s'opposer à l'immigration ou non, cela n'empêche pas d'être « obamiste ».

Clinton n'hésite d'ailleurs pas à jouer sur cette dissociation du signifiant et du signifié en se moquant des idées de rassemblement d'Obama qui selon elle ne mèneraient nulle part. On serait tous unis ? Et après ? Dans quel but ? Il semble que c'est plus le discours d'Obama que son programme qui attireraient les électeurs. C'est comme si celui-ci se déroulait indépendamment des actions qui le suivent ou le précèdent – trait essentiellement postmoderne. Obama semble avoir saisi quelque chose de l'inconscient populaire que Clinton paraît avoir raté.

Cette prééminence du discours correspond à la notion postmoderne de connaissance telle qu'elle est expliquée par Lyotard : la connaissance n'est plus mesurée à l'échelle des valeurs des Lumières, telles que la vérité (qualité technique), la bonté ou la justice (qualités éthiques), ou la beauté (qualité esthétique), c'est plutôt comme un simple jeu de langage dans le sens de Wittgenstein. Et les accusations de plagiat essuyées par Obama rappellent de manière ironique l'idée de Jean Baudrillard que dans le monde moderne il n'y a plus d'originaux, mais seulement des simulacres.

Loin d'être une renaissance du grand récit, c'est comme si le discours d'Obama était un pur jeu de mots qui attise la sensibilité moderne, sans aucune prétention de validité en dehors de lui-même ; comme si les paroles devaient se suffire, comme si la possibilité même d'un grand récit était mise en cause.

Et c'est bien là l'ultime aboutissement de cette idée postmoderne de la politique : l'abandon de la recherche d'une ultime vérité.

Ainsi, dans la société éclatée de l'Amérique moderne, Obama offre dans ses discours une vision d'une diversité assumée. Son discours sur l'acceptation de cette diversité est spirituel avant d'être social – il s'agit de commencer par nous changer nous-mêmes avant de s'attaquer à la société. C'est bien son langage et sa personnalité, sa capacité à créer un rapport quasi personnel avec son auditoire, au-delà de son programme, qui chez lui attirent la sympathie.

Ses positions ne sont d'ailleurs pas très différentes de celles de Clinton. Dans ses discours, ses meilleurs moments sont ses envolées lyriques – comme JFK, il a appris à en rayer le côté raisonneur qui, pour intéressant qu'il était, laissait son public de glace.

Il y a donc aujourd'hui une nouvelle génération qui arrive en politique pour laquelle la diversité est devenue une valeur en soi, et qui recherche un discours qui soit en phase avec notre époque, avec une société éclatée et une culture sans aucune prétention à la cohérence. Il est curieux que le rejet postmoderne d'un grand récit conduise à la renaissance d'une célébration des valeurs. La nouvelle génération semble à l'aise avec cette ironie, de même qu'avec l'incohérence essentielle de ce discours. De plus, ce n'est pas seulement par ses paroles qu'Obama répond aux attentes de son temps – il est postmoderne, il incarne par sa personnalité même les valeurs de notre époque. Croire que c'est telle ou telle de ses positions qui attire les foules est une erreur – son rayonnement va au-delà.

Comment sera l'Amérique d'Obama ? Bien que l'on puisse chercher des indications dans son programme, la controverse sur l'Alena reflète bien le danger qu'il y a à prendre à la lettre ses promesses de campagne. S'inspirant de sources multiples, s'adressant à un public varié, sa vision politique ne saurait être qu'en évolution, se développant au fil du temps. Tel est l'un des traits de caractère de cette nouvelle société ; son programme gardera donc jusqu'à la fin un certain mystère. Obama semble en effet ouvrir une ère en politique où, d'après la définition du postmodernisme par Václav Havel, en 1994, « si tout est possible, rien n'est certain ».

CHAPITRE 3

Obama et Hillary : la bataille des contraires

« Obama sait que quelque part il y a un trou dans notre âme », c'est ainsi que sa femme résumait en substance la candidature de son mari lors d'un discours dans le Wisconsin. Comme elle l'avait dit déjà dans le passé : « Barack Obama est la seule personne qui comprenne qu'avant de régler nos problèmes il faut guérir nos âmes. Nos âmes sont brisées... »

À Los Angeles, elle s'était exprimée avec plus de précision : « Barack Obama va vous demander de vous départir de votre cynisme. De laisser tomber vos divisions. De sortir de votre isolement et de votre confort. De faire un effort pour vous améliorer, et de vous engager. Barack ne va jamais vous laisser poursuivre votre vie comme si de rien n'était, sans engagement aucun, mal informés [1]. »

Un autre orateur de talent avait déjà demandé aux citoyens de ne pas se demander ce que leur pays pouvait pour eux, mais ce qu'ils pouvaient pour leur pays. Il s'appelait John Kennedy.

« C'est intéressant de voir Mme Clinton dire "ne donnez pas de faux espoirs aux Américains, soyez réalistes". Est-ce que vous imaginez JFK dire "on ne peut pas aller sur la Lune, c'est un faux espoir, soyons réalistes" ? » ironisait Obama le 7 janvier, marquant sa différence avec Hillary. Au pragmatisme clintonien s'oppose le charme d'Obama, capable de faire rêver les gens. Gestionnaire compétente, Hillary s'est vue confrontée au visionnaire Obama, qui a su l'enfermer dans la case sans issue des « administrateurs sans esprit » tocquevilliens.

La première dimension qui divise Obama et Hillary est donc leur divergence radicale de sensibilités. En effet, si celle-ci a appris beaucoup de choses de son mari, elle n'a jamais pu hériter de son cha-

---

1. William Kristol, « It's All About Him », *The New York Times*, 25 février 2008.

risme jovial, de sa capacité à se montrer proche de tout un chacun et d'incarner par un coup de génie à la fois l'Américain moyen (comme quand il s'arrêtait chez McDonald avant un dîner chez les Kennedy) et ses rêves les plus fous : le petit gars de l'Arkansas qui va à la Maison-Blanche. Hillary, elle, est toujours restée un peu sophistiquée, prenant soin de tous les détails mais ne parvenant jamais à crever l'écran.

La personnalité d'Obama respire le charme, un charme un peu vieille école. Il parle de l'expérience qu'il a faite avec sa mère quand elle rentrait dans sa chambre et l'accusait, adolescent, d'être en perte de vitesse à l'école, discussions qu'il arrivait toujours à désamorcer par un ton de voix doux, en l'écoutant et en lui répondant poliment. Il met ce réflexe, appris dans sa jeunesse, sur le compte de la surprise qu'ont les Blancs (sa mère y compris) à se trouver en face d'un jeune homme noir si bien élevé. Enfin quelqu'un qui n'est pas toujours en colère. La thèse d'Obama est que les Blancs portent toujours en eux un sentiment inconscient de culpabilité par rapport aux Noirs, et que cette douceur a le don de les apaiser. Une fois le sentiment d'être menacé dissipé, toute discussion devient possible, que ce soit sur le fait de ranger sa chambre, d'avoir de bonnes notes et de bonnes fréquentations, ou de se faire élire Président.

Hillary, elle, est une battante et se présente comme telle. Malgré le fait d'avoir travaillé pendant des années à apprendre à lâcher prise, à arrêter de traiter ses adversaires comme des ennemis en temps de guerre, sa grâce récente n'est justement que cela – apprise et travaillée. Ce n'est pas un hasard si elle est poursuivie par ce sentiment lancinant de son inauthenticité – on sent qu'elle est toujours prête à se jeter dans la mêlée.

C'est ce genre de brèches qu'a su colmater l'esprit ravageur et romantique de Barack. Il est tout à fait paradoxal qu'Obama, qui s'était toujours senti décalé, soit devenu dans cette élection le porte-drapeau d'une authenticité que les convictions monolithiques de Clinton ne peuvent plus délivrer. Il a su, au fil de sa quête identitaire, trouver une paix intérieure et une aise avec lui-même, première chose frappante pour quiconque le rencontre. C'est encore là que l'on voit sa pertinence à notre époque – l'authenticité qu'aurait pu avoir Clinton (les mêmes idées, comme la politique de l'assurance-maladie qui est son cheval de bataille depuis toujours, depuis les temps bien familiers de Clinton) n'est plus d'actualité ; elle est donc perçue comme artificielle par l'électorat. Au contraire, l'authenticité d'Obama a été le fruit d'une longue recherche – et, tel le temps retrouvé de Proust, plus réelle que ce qui nous est d'emblée donné.

Dans son livre *Jargon de l'authenticité*, Adorno exposait l'idée que l'authenticité est changeante dans la société moderne. Malgré la soif évidente qu'on en éprouve, et en politique comme ailleurs, elle ne peut être qu'illusion dans un contexte d'aliénation où l'être « décomposé » a perdu les repères d'un monde unifié et donc « authentique ». Le postmodernisme va encore plus loin, postulant qu'il est possible de jouer avec cette notion, à condition que ce soit de manière ironique et au second degré. L'authenticité au sens traditionnel du terme n'a donc plus aucune pertinence pour les électeurs modernes, dans une société éminemment fluide et aux priorités changeantes.

Il en va de même en politique : Bush qui était perçu comme un « authentique Texan », un « Monsieur Tout-le-Monde » avec lequel les électeurs disaient vouloir prendre une bière, venait en fait d'une famille illustre et a pu bénéficier d'une éducation sans pareille à Yale et Harvard.

Dans un contexte politique où toute prétention à l'authenticité se révèle artificielle, le fait qu'Obama accepte son métissage a eu un effet plus rafraîchissant sur les électeurs que les poses étudiées de Clinton. Le ton de son livre sur son père est d'une candeur inhabituelle pour un homme politique, et les électeurs ont trouvé attachante son histoire peu commune. Son authenticité ne vient pas de ses origines, de son enfance, ni du type de bière ni de moutarde qu'il commande, mais d'un rapport sans complexe au gens et aux événements qui vient d'une paix profonde avec lui-même. C'est ce qui fait que les gens choisissent Clinton avec leur raison et Obama avec leur cœur. Hillary la battante est un produit étudié ; voter Obama est souvent impulsif, une envie qui vous démange, quelque chose à quoi on se laisse aller (quitte à le regretter par la suite ?). Toute une classe d'« obamaniaques » se déclare maintenant envoûtée par le charmeur. Joel Stein rapporte dans le *Los Angeles Times* du 8 février 2008 les propos de l'acteur Eric Christian Olsen : « J'ai l'impression qu'on est confronté à un vrai mouvement. Rien de semblable, disons, à l'engouement pour un nouveau groupe de rock. C'est la première fois, à mon sens, que nous devrions faire confiance à la passion qui nous anime. » Olsen est allé jusqu'à envoyer à ses connaissances un courrier où il ne mâche pas ses mots : « Rien n'est aussi puissant que ce que j'ai ressenti en le rencontrant pour la première fois. J'étais là, mes mains dans les siennes et... j'ai senti quelque chose... quelque chose que je ne peux décrire que comme un irrésistible sentiment d'espoir. »

À une échelle plus grande, Oprah Winfrey, la reine des talk-shows américains, a déclaré en donnant son soutien à Obama : « C'est celui que j'attendais. » En Caroline du Sud, elle justifie ainsi son impatience : « Il y a ceux qui disent que ce n'est pas le moment, qu'il devait attendre son tour. Pensez seulement un instant à ce que vous seriez aujourd'hui si vous aviez attendu quand les gens vous ont dit d'attendre. Je ne serais pas où je suis, si j'avais écouté les gens qui m'ont dit que ce n'était pas possible. »

Vocabulaire de la passion, tirades pleines d'émotions, le soutien des groupies d'Obama est extraordinaire. L'Amérique n'a pas peur de ses passions même si celles-ci vont jusqu'au culte de la personnalité. Les psychologues comparent le phénomène Obama à la dynamique des petites annonces en ligne : plus on se présente en termes vagues, plus on a de chances de rencontrer l'amour... mais gare aux déceptions par la suite !

Ce qui reste pourtant à retenir de tout cet engouement, c'est l'impression qu'il va durer. Ce qui fait la force d'Obama – et notamment ce qui l'a décidé à entrer dans la course –, c'est le sentiment qu'il y a un vrai courant, qu'il a su saisir quelque chose qui correspond à notre temps. Il ne suscite pas les passions malgré la grandiloquence de ses discours mais bien grâce à elle : il est l'écran sur lequel les électeurs peuvent projeter leurs propres ambitions. Le phénomène qui rend possible une telle identification à un leader a été beaucoup analysé dans le contexte des dérives totalitaires. La passion des foules, le culte de la personnalité, le sentiment de communier avec le leader, rien de tout cela n'est inconnu. On se croyait désormais imperméables à ce genre de sortilèges. La différence est que les armes politiques d'Obama ne sont pas des armes au service d'une idéologie ; dans son cas, la forme est le contenu même de l'exercice politique – la capacité à se projeter.

C'est un renversement bien curieux de la logique politique traditionnelle. Le but de l'homme politique n'est plus de mener ses troupes d'un côté ou de l'autre – c'est d'offrir un miroir qui permette aux électeurs de se reconnaître en lui. Ce qui met Obama en ph avec l'esthétique postmoderne est précisément son absence de définition ; son plus grand danger est aussi son salut. Aucun risque de manipulation, ici, aucun effort d'entraîner ses troupes dans une direction ou une autre. Son discours reste un ensemble bien sage de généralités alignées sur la vision globale du Parti démocrate ; aucune dérive autoritaire de son côté. C'est ce jeu de miroirs qui est le propre de la philosophie d'Obama, postmoderne parce qu'il évite le cloisonnement identitaire propre à la politique qu'on connaît et qu'il réussit à transcender les clivages, donc à rassembler. C'est cela qui entraîne les foules et lui permet de dominer le jeu.

Lui-même est inconscient d'être en phase avec son époque et d'être porté par elle ; il est aussi maître de créer sa propre mythologie à cet égard. Il aime dire : « Dans des années, vous regarderez en arrière et vous vous direz : c'était le moment... » Il n'hésite pas à rappeler que c'est une vague qui le propulse en haut : « Nous savons que ce qui a commencé par un murmure est aujourd'hui devenu un chœur que plus personne ne peut faire semblant d'ignorer, un chœur qui ne faiblira pas, qui sera entonné dans tout le pays comme un hymne destiné à guérir cette nation et à soigner ce monde, et qui marquera le début d'une ère nouvelle. »

Deuxième opposition entre Obama et Clinton : jeune, dynamique et intelligent, celui-ci est le chouchou des intellectuels, des jeunes et des électeurs cultivés. C'est Obama qui a largement motivé les jeunes pour participer à un processus politique dont ils étaient largement déçus après les années Bush, souvent comparées à une espèce de chape de plomb. Les élections dans l'Iowa ont marqué un réveil à cet égard : la participation des jeunes a été de 135 % plus forte qu'en 2004 et bien supérieure que dans le reste de la population. Parmi les moins de vingt-cinq ans, ils étaient cinq fois plus nombreux à voter pour Obama que pour l'un de ses concurrents.

Une différence clé entre Obama et Clinton est pourtant l'habileté à aller au-delà des barrières des partis. En effet, Hillary est haïe par les républicains, c'était déjà vrai du temps de la présidence de son mari, de la commission Star et de la débâcle de son projet d'assurance-maladie. Elle est restée la candidate de la base traditionnelle démocrate. Obama, par contre, fausse le jeu de la politique des partis américains : il remet les choses à plat. Non seulement des républicains ont voté pour lui dans des États où il n'est pas nécessaire d'être affilié à un parti pour participer aux primaires, mais il a pu attirer le soutien de certains républicains de renom. Les Kennedy ne sont pas la seule famille présidentielle à le soutenir – Susan Eisenhower, petite-fille du président républicain Dwight Eisenhower, a choisi de faire de même : « Je voulais faire ce que beaucoup ont fait pour mon grand-père en 1952. » Barack Obama va vraiment se retrouver dans une position exceptionnelle qui lui permettra d'attirer les républicains modérés. Dans sa quête pour la présidence, il avait bénéficié d'une aide formidable de la part du Mouvement des démocrates pour Eisenhower. Le fait que les électeurs votent parfois pour l'autre camp est une tradition très ancienne et très honorable.

Obama, comme tout leader aux aspirations messianiques, a le don de créer un nouveau vocabulaire pour marquer l'avènement d'une nouvelle époque. C'est donc lui qui a crée le terme « obamacains » pour designer les républicains déçus de leur camp et prêts à prendre le large. Petits en nombre, ils n'en indiquent pas mois une tendance. Selon l'équipe de campagne d'Obama, plus de sept cents républicains se sont engagés pour Obama dans l'Iowa ; dans le Colorado, plus de cinq cents se sont déclarés prêts à changer de camp. Au Texas, d'après les sondages, à peu près un dixième des électeurs dans les primaires pourrait être des républicains déçus ; d'autres voteraient Obama simplement pour arrêter Hillary. Comme le dit Obama lui-même : « Je crois pouvoir reccueillir les votes de ses électeurs dans une bataille contre les républicains. Je ne suis pas sûr qu'elle puisse avoir les voix des miens. »

Barack représente donc une rupture avec la politique politicienne et l'état habituel des choses, alors que Hillary est passée maître dans le « *business as usual* ». Obama souligne souvent le contraste entre « la grandeur de nos problèmes et la petitesse de nos politiques » : « Nous avons le sentiment que des questions clés sont ignorées. » Il s'engage donc à « changer la politique et les politiques pour le mieux ». De même, dès le début de sa campagne, Obama était perçu comme outsider de Washington, là pour faire bouger les choses (d'un total « manque de rigueur, d'honnêteté et de bon sens ») ; non seulement en opposition avec des politiques différentes, mais aussi avec une manière radicalement neuve de faire de la politique et de gagner des élections – privilégiant dignité et respect par rapport aux manigances des politiciens à l'ancienne (sous entendu : les Clinton...). « Nous avons besoin d'une politique nouvelle », n'hésite pas à dire Obama. C'est donc tout un projet de réorientation politique qu'il voulait entreprendre.

Aujourd'hui, il se souvient du début de la campagne : « Les gens ne nous prenaient pas au sérieux... Ils disaient : "Il doit se montrer plus agressif. Il ne peut pas continuer cette campagne positive... Il est trop gentil. Il ne peut pas gagner [1]". » Malgré des moments où il semblait prêt à se retourner contre Clinton, il a su conserver sa dignité, limitant ses invectives aux différences d'opinion plutôt qu'aux attaques personnelles. L'avenir dira s'il sait tenir le cap. Dès qu'il a commencé à penser se présenter, Obama précisait toujours à son équipe qu'il ne le ferait qu'à sa manière : en évitant les coup bas, les intrigues, la simplification grossière et la focalisation sur la base du parti. Son pari avait été d'avancer dans les élections en gardant la tête haute, pari à peu près réussi : s'il y avait des moments, comme avant les élections de Caroline du Sud, où il se laissait aller à un combat de proximité, il pouvait se relever. Il s'est mis très en colère quand son équipe a fait circuler en été 2007 un mémorandum accusant Bill Clinton de profiter de sociétés qui délocalisaient des emplois en Inde. « Avant de toucher les limites, demandez-moi », tonnait-il. Il reste bien sûr à voir ce que deviendra cette nouvelle éthique si Obama accède au pouvoir...

La rupture apportée par Obama est pourtant bien plus grande qu'une simple rupture avec les vieilles méthodes de Washington. Son ambition est d'offrir une nouvelle approche à des problèmes d'une ampleur telle que les réponses habituelles ne feront pas l'affaire, qu'il faudra changer de jeu plutôt que de se plier aux règles. Comme l'écrit le très réputé *Atlantic Monthly* : « Le paradoxe est que Hillary constitue le choix le plus logique si vous pensez qu'après tout la situation n'est pas si mauvaise, que la crise actuelle n'est pas si profonde, que le pragmatisme suffira pour affronter un monde cerné par les conflits religieux, que la bipolarisation idéologique actuelle n'est pas dangereuse. Si ce qui paraît sombre aujourd'hui n'est qu'une illusion nourrie par le traumatisme persistant de la présidence Bush, alors Hillary peut suffire. En revanche, si vous avez l'impression que des dangers plus grands nous attendent, alors le calcul des risques s'en trouve modifié. Parfois, le plus grand risque réside dans l'excès de prudence. Sans recul, Obama apparaît comme un candidat improbable. Avec une certaine distance, il apparaît nécessaire. À travers lui, il est possible que nous ayons enfin trouvé

1. *Newsweek*, 14 janvier 2008, p. 33.

le pont qui nous relie au XXIe siècle dont parlait Bill Clinton. Et ce pont s'appelle Obama. »

Autre différence essentielle entre Obama et Clinton : alors que Hillary se plaît à donner des détails sur ses programmes et initiatives qui peuvent être difficile à suivre pour l'Américain moyen, Obama parle de l'« État iPod », présentant ses choix majeurs de manière plus simple. Le choix de la métaphore est conscient, bien sûr – Obama porte sa modernité en bandoulière. Il a bien retenu la leçon de Kennedy qui a fait de l'éloquence sa grande force.

Clinton et Obama s'opposent aussi par leur stratégie électorale. Hillary visait gros : les grands États, tels la Californie, New York, le New Jersey et la Pennsylvanie ; les grands financeurs. Barack avait pris le parti contraire en se positionnant comme le candidat des masses : les petits États, les petits donateurs. Clinton s'était retrouvée encerclée – elle a perdu onze élections de suite, dans des petits États, certes, mais ces échecs frappaient dur à chaque fois et s'accumulaient dans l'inconscient collectif. De même pour les fonds levés, cette stratégie s'était heurtée à la limite imposée dans une campagne primaire, soit 2 300 dollars, limite déjà atteinte par Clinton ; ces supporters ne pouvaient donc pas être sollicités davantage. Obama, par contre, avait une base de 650 000 donateurs auxquels il pouvait toujours faire appel, car leurs dons étaient bien en deçà de ce qu'autorisait la loi électorale.

En effet, 28 millions avaient été collectés en ligne jusqu'en janvier 2008, dont 90 % en donations de 100 dollars ou moins, et 40 % de 25 dollars ou moins. Ces chiffres montraient trois choses : l'énorme assise populaire d'Obama, à l'opposé d'une Clinton soutenue par les éléphants du parti, la possibilité de mobiliser plus de fonds grâce à cette large base populaire, et sa grande habileté avec les nouveaux médias. Jusqu'en janvier Clinton avait réuni seulement 15 millions de dollars en ligne, avec une montée en flèche après l'annonce de son apport personnel. Elle passait aussi beaucoup de temps dans les collectes de fonds habituelles, alors qu'Obama pouvait se les épargner et rester sur le terrain avec les électeurs. Tout cela annonçait ce que serait peut-être la campagne contre les républicains, beaucoup plus traditionnelle.

Le mouvement avait été amorcé par Howard Dean, aux présidentielles de 2004. Lui aussi avait fait des petites donations en ligne sa spécialité, et était presque l'inventeur d'une campagne présidentielle par Internet. En 2008, le monde était différent – il n'était plus suffisant de maîtriser les médias plus conventionnels, un exercice dans lequel les Clinton excellaient. La blogosphère offre un monde d'analyse et d'opinion moins aisément contrôlable – un monde où les nouvelles apparaissent souvent plus vite que dans les journaux, et où il n'y a pas de relations personnelles pour fausser la donne. Des sites tels que YouTube offrent aussi une vision directe de la campagne, les moindres gaffes étant diffusées sauvagement. Les candidats n'ont plus le contrôle de leur image de la même manière – les candidats n'ont pas droit de veto. L'un des grands coups de la campagne électorale 2007-2008 était une vidéo qui présentait Clinton à la Orwell, dans *1984*. Alors que l'équipe d'Obama a nié toute implication, la vidéo n'a fait que renforcer l'image d'une Clinton avide de contrôle et de pouvoir.

Tout est géré au quartier général d'Obama, à Chicago, dans un petit bureau qui ressemble à celui d'une start-up. Les résultats du mois de janvier ont été fulgurants – 150 millions de dollars levés en tout, dont 36 millions seulement pour le mois de janvier seulement, plus que ce que l'on croyait d'après une nouvelle qui parlait de 32 millions. Une somme qui rendait les 13,5 millions de dollars amassés par Clinton, ainsi que les 12 millions de la campagne de McCain, bien ridicules. La course est devenue de plus en plus serrée : en février, Hillary a déclaré son meilleur résultat jusqu'à présent : 36 millions de dollars, et une augmentation des donations sur Internet. Pourtant, au Texas et dans l'Ohio, Barack a été en mesure de dépenser plus qu'elle grâce à des donations de 56 millions – moyens qui ne lui ont été que peu utiles.

Obama mène une campagne de proximité. Dans l'Iowa, son équipe a recruté des étudiants – maintenant autorisés à voter dès dix-sept ans. – afin de lancer des clubs Obama dans les écoles. Et, en Caroline du Sud, le recrutement s'est focalisé sur les coiffeurs et les barbiers afin de créer un bouche-à-oreille.

« Je respecte Hillary. J'adore Obama », c'est ainsi qu'un électeur a résumé son attitude en début de campagne. Qu'en sera-t-il à la fin ? Clinton saura-t-elle garder ce respect si durement gagné après s'être montrée sous toutes ses facettes ? Obama pourra-t-il rester populaire – alors même qu'on l'encourage à se montrer plus agressif face aux républicains mais aussi contre les « ennemis de l'Amérique » ? Le roman d'aventures se poursuit et ce qui est sûr, c'est que cette bataille entre deux figures historiques opposées restera dans les annales de l'Histoire.

CHAPITRE 4

Race et modernité

Obama ne se laisse pas enfermer dans l'image conventionnelle du Noir américain. Mais, pour celui qui allait devenir le premier candidat noir susceptible d'être élu à la présidence, ce sont les questions sur sa couleur de peau qui reviennent le plus fréquemment. Comme l'écrivait déjà à l'époque de sa campagne au Sénat, l'un des grands journaux de Chicago, le *Chicago Sun-Times* : « Il pourrait paraître trop intelligent, trop réservé et trop élitiste pour les Noirs moyens... C'est un phénomène culturel, fondé sur l'anti-intellectualisme des milieux noirs et dû à une méfiance envers ceux qui sont associés aux structures du pouvoir blanc... Certains nationalistes chuchotent : "Barack n'est pas suffisamment noir." Il est à moitié blanc, il habite le quartier à la mode de Hyde Park, il est le chouchou des progressistes blancs... on ne peut donc pas lui faire confiance [1]. »

Ce manque de foi en l'authenticité de son identité noire devrait le suivre tout au long de sa carrière politique. Ce qui faisait précisément sa force était aussi ce que lui reprochait la communauté afro-américaine. Les hommes politiques noirs se divisaient en deux catégories. La première, c'était celle des candidats qui se présentaient sur un programme essentiellement axé sur les Noirs – ceux-ci avaient le soutien de leur communauté mais aucune pertinence en dehors et perdaient les élections générales de fait. La deuxième catégorie rassemblait ceux qui abordaient des questions plus générales et exerçaient une influence plus large, engendrant pas mal d'animosité dans leur propre communauté, trop différents, peut-être hautains, et finalement trop blancs. Ainsi, Sydney Poitier, le premier acteur noir à succès d'Hollywood, alors qu'il brisait toutes les barrières traditionnelles qui étaient imposées aux Noirs, fut accusé

1. David Mendell, *Obama : From Promise to Power*, *op. cit.*, p. 186.

d'être « un Noir façonné pour les Blancs » : trop posé, trop cérébral, trop distingué.

De même que distinguer les valeurs humaines des valeurs spécifiquement noires était compliqué dans le débat culturel des années cinquante et soixante, faire la différence entre les sujets de société importants pour la communauté noire et ceux qui comptent pour la société entière n'a rien d'anodin aujourd'hui. Les hommes politiques noirs qui tentent de les confondre se trouvent ballottés : le soutien qu'ils recueillent dans la société américaine n'est pas suffisant pour combler les lacunes créées par leur manque de suffrages dans leur propre communauté. Se concentrer sur l'électorat noir implique de négliger les Blancs modérés, c'est-à-dire le cœur même de l'électorat américain ; et se positionner au milieu, pour l'électorat blanc, revient à renier ses origines et se couper de l'électorat afro-américain qui ne s'y reconnaît plus.

Dans son livre sur Barack Obama, Shelby Steele expose la dichotomie entre la politique des « négociateurs » et celle des « lanceurs de défis ». Les « négociateurs » échangent leur silence sur la question du racisme américain contre leur intégration dans la société : ils donnent le bénéfice du doute aux Blancs pour construire leur relation avec eux, mais sont condamnés à perdre le soutien noir. Les « lanceurs de défis » confrontent les Blancs à leur racisme, passé ou présent, mais leur sont intolérables. Il voit d'ailleurs dans ce paradoxe de l'identité politique noire la raison principale pour laquelle Obama ne peut pas gagner : il veut appartenir à la communauté noire, mais pour s'intégrer il doit se défaire de ce qui fait de lui un individu, notamment ses origines métissées. C'est ce désir d'intégration à la communauté noire qui ferait d'Obama un homme « aux mains liées ». Il aurait besoin d'atteindre une visibilité en tant qu'individu plutôt que comme représentant d'une couleur. Du dépassement de ce complexe, qui poursuit les hommes politiques noirs depuis toujours, va dépendre le succès d'Obama.

Ce danger d'être « entre les deux races » plutôt que d'être « des deux à la fois » va en effet le guetter, surtout par rapport aux Clinton qui ont une popularité sans pareille dans la communauté noire. Hillary peut effectivement se présenter entourée des leaders noirs de la dernière génération contrairement à Obama – son équipe et ses supporters reflètent davantage la diversité de la population américaine. Se priver de l'entourage des leaders noirs, c'est s'éloigner de l'une de ses sources logiques de soutien.

Finalement, il est curieux qu'Obama se présente contre les Clinton. La population noire est en effet considérée, depuis toujours, comme l'un de leurs bastions inattaquables. L'ex-président Clinton a un bureau à Harlem et chacun de ses déplacements se transforme en bain de foule. Il a aussi été qualifié de « premier Président noir des États-Unis ». Interrogé là-dessus lors d'un débat, Obama avait contourné la question par une blague : il avait dit devoir examiner les talents de danseur de l'ancien président avant de se prononcer.

Dominer le vote noir deviendra donc nécessaire pour Obama dans toutes ses élections, et il sera le premier homme politique noir à pouvoir marcher sur le fil des relations entre races sans tomber. Le sachant, il a fait un effort pour s'enraciner dans la communauté noire. Jeune, il avait repoussé une petite amie sérieuse qui était blanche parce qu'il ne se sentait pas suffisamment compris par elle. Malgré leurs affinités, il avait eu peur de ne pas pouvoir aller très loin avec elle. Il va sans dire que le fait d'avoir épousé Michelle, femme noire accomplie et sans complexes, a fait beaucoup pour consolider cet enracinement tant recherché.

En même temps, la double (ou plutôt multiple, tant elle est complexe !) appartenance d'Obama lui permet d'être un candidat viable aux yeux de l'électorat blanc modéré. Comme le formule Noam Schreiber dans son texte « La race contre l'histoire [1] » : « Le pouvoir d'Obama de ne pas faire de la couleur de peau un problème, va de pair avec son éducation éminente et son expérience de premier président noir de la *Harvard Law Review*, et en fait un candidat afro-américain qui n'est pas typiquement afro-américain [...] Libéré de l'obligation de répéter aux Blancs modérés qu'il n'est pas menaçant, il peut en appeler à leurs intérêts économiques, tout en inspirant aussi sa base d'Afro-Américains et de Blancs progressifs [...] »

---

1. Publié dans la revue *The New Republic* le 31 mai 2004.

Les raisons pour lesquelles Obama a été capable de franchir ce cap sont précisément les mêmes qui le rendent si pertinent pour notre époque. En effet, une qualité souvent sous-estimée de Barack Obama est sa capacité à s'adapter. Il est frappant de voir à quel point il change de cadence et d'intonation en fonction de l'auditoire auquel il s'adresse, n'hésitant pas à utiliser régionalismes et exotismes. Quand il parle à un public noir, il se laisse glisser dans la musique et le rythme des sermons des prêcheurs noirs qu'il connaît de son église. Son ton est plus élevé, presque chantant. Parlant à une foule de fermiers blancs de l'Iowa, il est plus retenu, plus simple, utilise un langage moins métaphorique, plus direct. Comme il l'a confié : « Il y a un certain rythme qui émane d'un public. Un auditoire noir va réagir différemment. Il ne va pas se contenter d'être assis là. Je ne suis pas prêtre et ne prétends pas être le docteur King – et je n'essaie même pas –, mais il faut des paroles différentes pour toucher ces gens [1]. »

Ce n'était pas seulement la forme qui changeait quand Barack s'adressait à une assistance noire – il parlait davantage de sa foi chrétienne, de son église à Chicago, dans la droite lignée des grands leaders noirs, et liait son propre succès à celui de sa communauté en général.

D'aucuns voient dans cette adaptabilité un signe de condescendance ; c'est comme si Barack y allait un peu trop fort. Un homme noir pourrait s'étonner de sa manière de saluer avec un « comment ça va, frère ? », le frère en question rend alors parfois un regard consterné. Il est évident que cet enracinement noir est une affaire de choix, il est appris et non hérité de l'enfance, il est adopté sciemment.

Cette plasticité rend Barack particulièrement moderne, et apte à représenter cette nouvelle Amérique en plein éveil. Avant, on pensait qu'un candidat avait besoin d'assises fortes dans un groupe suffisamment important pour le porter à la présidence. C'est pourquoi on ne pouvait pas, jusqu'à présent, imaginer de Président noir – les Noirs représentent seulement 12,4 % de la population américaine. C'est un réflexe hérité de la politique traditionnelle, le même qui faisait donner Kennedy perdant parce qu'il appartenait à la minorité catholique. Cet adage s'est pourtant démenti un bon nombre de fois –

---

1. David Mendell, *Obama : From Promise to Power*, *op. cit.*, p. 187.

entre autres, lors des élections de 2000, quand Al Gore avait perdu dans son propre État, le Tennessee. L'idée qu'un démocrate ne pouvait qu'être du Sud pour l'emporter ne tenait plus la route. Comme Kennedy en son temps, Obama rend caduque la sagesse populaire – dans une société de plus en plus fragmentée comme la nôtre, personne ne vient d'un groupe suffisamment grand et puissant pour que cela suffise à le porter à la présidence. Il est impératif de toucher d'autres couches de la population. C'est ce qui fait la valeur d'un homme politique.

Ainsi, Barack est plus qu'un homme politique noir dans le sens d'un Jesse Jackson ou d'un Al Sharpton. Il attire aussi bien les Noirs que les Blancs et est capable de les fédérer comme personne. C'est cette capacité qui est au cœur de son appel au changement et au renouveau, et nul mieux que lui ne peut en faire une réalité.

C'est ce phénomène qui rend Barack Obama si moderne – ou, pour être précis, postmoderne : sa personnalité ne se limite pas à son origine. Comme il le disait en novembre 2003 à l'église de Mars Hill, à Chicago : « Je ne fais pas une campagne basée sur la couleur. Je suis enraciné dans la communauté afro-américaine mais non pas limité par elle. »

Tout en étant parfaitement à l'aise avec ses origines, il est plus qu'elles, et donc il inclut l'ensemble de la société américaine. Ce trait postmoderne est à l'origine de son message fédérateur, ce qui le distingue en tant qu'homme politique.

On l'a présenté comme un politicien pour qui la race et son histoire n'auraient plus d'importance – rêve d'une personnalité (et donc bien sûr d'une société) où les tensions sociales sont effacées. Ce n'est pas entièrement vrai. Obama a fait des efforts considérables pour intégrer la communauté noire et a écrit un livre de quatre cents pages à ce sujet – il n'en rejette pas la notion qu'il considère comme indispensable à une personnalité épanouie. Sa femme Michelle aime rappeler que sa vie a été marquée par cette résolution. Dans son parcours personnel, il n'a pu trouver la paix qu'après avoir exploré ses conflits intérieurs et s'être enraciné dans une communauté historique, spirituelle et familiale. Dans son cas, il est pourtant intéressant que ç'ait été une quête plus qu'un héritage. Pour l'homme politique d'aujourd'hui, la notion d'enracinement reste pertinente mais offre la possibilité d'être façonnée selon les aspirations de chacun. Cette dynamique reflète pour la première fois en politique les vraies tensions qui animent l'homme postmoderne – la société américaine y trouve enfin un reflet qui la porte. L'homme postmoderne n'est-il pas « enraciné », conjonction d'affinités électives, façonné à la manière d'un vêtement et, en même temps, bien « plus que cela » ?

Si l'enracinement rassure l'Amérique – Obama est quand même un provincial avec l'accent du Kansas et d'une famille moyenne du Midwest –, le « plus que cela » le ravi. Soif de nouvelles frontières : quel Américain moderne accepte de se laisser enfermer dans son destin, ignore pouvoir faire plus, qu'il peut être « plus que cela » ? Obama a su toucher une corde très sensible chez ses concitoyens. C'est ce cocktail de familiarité rassurante et d'ouverture au possible qui fait peut-être son succès.

On voit en même temps que cette caractéristique de l'homme politique moderne en est aussi l'écueil – c'est ainsi qu'on a pu reprocher à Obama ses volte-face sur différents sujets. Car on ne peut être compétitif dans cette société si fragmentée sans évoluer aussi vite qu'elle.

Ainsi en leur demandant d'être toujours plus proches d'eux, les Américains mettent leurs hommes politiques devant la nécessité, et le dilemme, du changement. Celui-ci peut s'opérer à travers le temps, surtout aujourd'hui où tout évolue très vite. La versatilité des opinions est en effet le sujet le plus discuté du moment, et le reproche le plus fréquent dans ces élections.

Conclusion

C'est une nouvelle Amérique qui a créé Barack Obama. Une Amérique réconciliée avec elle-même et les autres. Une Amérique qui, après des siècles de discrimination raciale, peut imaginer porter un homme noir à la Maison-Blanche. Car indépendamment de l'issue des élections, c'est la candidature d'Obama qui est en soi un fait historique. Il y a eu des candidats noirs auparavant, mais aucun n'avait eut une chance aussi sérieuse d'accéder à la Maison-Blanche. Pour la première fois, un homme noir pourrait devenir le commandant en chef de l'armée la plus puissante du monde. Pour l'Amérique ainsi que pour le monde entier, il s'agit d'un renversement sans pareil des paradigmes du pouvoir. Un chef de l'État noir pourrait asséner un coup fatal à la fois au suprématisme et à la victimisation noires – comment juger injustement répressive une machine d'État qui met les Noirs en prison si un homme de couleur est à sa tête ? Comment parler d'un échec dans l'éducation et le travail avec un exemple flagrant de réussite à la tête du pays ? Pouvoir imaginer un tel changement est le signe d'une mutation des mentalités historique aux États-Unis. C'est une Amérique enfin libérée de son passé de ségrégation, ouverte sur le monde et en phase avec ses propres valeurs – une Amérique qui accorde plus de place à l'individu lui-même qu'à ses origines.

Barack Obama est le symbole même de ces possibilités – sa renommée doit davantage à ce qu'il pourrait faire qu'à ce qu'il a déjà fait. L'histoire du grand garçon mince au nom exotique ne fait que commencer. L'avenir montrera jusqu'où il peut aller.

L'Amérique, pays toujours avide d'horizon, est donc vite tombée amoureuse de celui qui représente aussi parfaitement ses potentialités – en termes de couleur de peau, de classe sociale, de mélange culturel, et bien sûr d'éducation et de travail –, qui rendent toutes réalisations envisageables. Pour la première fois, pourtant, l'Amérique arrête de se contempler et s'ouvre au monde extérieur. Obama est le visage de cet horizon nouveau.

Pour la première fois, un président américain pourrait avoir une grand-mère qui vit dans une case en Afrique, sans électricité ni eau courante, et se promène pieds nus. Pour la première fois, l'Amérique pourrait avoir un président avec un nom à résonance non anglo-saxonne – Barack Hussein Obama. Un potentiel handicap : un premier prénom dépaysant, un deuxième identique à celui d'un dictateur récemment exécuté, bête noire de l'Amérique, et un nom de famille qui rappelle un autre grand ennemi des États-Unis, à l'origine de la plus grande attaque terroriste de l'histoire du pays. Quand les conseillers politiques entendaient ce nom, ils baissaient les bras et évitaient le malchanceux comme la peste – un peu comme des spécialistes de marketing renonceraient à un produit qu'ils jugent invendable –, Obama, un « produit » politique impossible à vendre aux Américains moyens.

Ce nom a valu bien des difficultés à Obama. Au moment de son élection au Sénat, un site Web avait publié une image d'Obama superposée à la figure d'Oussama Ben Laden. Des excuses n'auraient rien changé, l'insulte était faite. Un groupe de républicains se préparant à la campagne présidentielle proclamait haut et fort, comme un slogan, leur opposition à « *Osama, Obama and Chelsea's mama* » (allusion à la fille des Clinton). Ces slogans en rime n'étaient pas flatteurs.

Cette malchance peut devenir une chance pour l'Amérique et pour le monde. Après Bush président, dont le seul voyage à l'étranger avant son investiture fut le Mexique, un Bush incapable de prononcer les noms de ses homologues étrangers, de comprendre leurs coutumes et les crises qu'ils traversent, Barack Hussein Obama représente un complet renversement de tendance. Rien que cela. Un Président dont la grand-mère africaine marche les pieds nus ne pourrait rien ignorer des intérêts du reste du monde, ne pourrait pas être exclusivement centrée sur l'expérience américaine. Un président américain dont le nom sonne tellement de manière exotique qu'il était déformé en « Alabama » ou « Yo Mama » ne saurait être choqué par la différence. Un président américain éduqué en partie dans une école musulmane (appelée « madrasa » par certains, mais en réalité assez modérée) aurait une vision singulière des conflits du Proche-Orient et une sensibilité tout autre envers l'islam. Un président américain de souche africaine, bien ancrée dans sa tribu ancestrale des Luo, ne saurait ignorer les dynamiques tribales ou les groupes religieux, tels que les sunnites et les chiites en Irak par exemple. Un président américain à la peau noire ne saurait ignorer le racisme ou l'exclusion, aux États-Unis et ailleurs. Un président américain dont la ferme familiale, dans la plaine africaine, est irriguée par l'eau des pluies, pourrait accepter que le reste du monde ne se soumette pas aux conditions de vie ou aux valeurs américaines. Un Président dont la famille vient du Kansas et du Kenya, ayant vécu à Hawaï, Los Angeles, New York ou Chicago, ne saurait se contenter de croire à l'existence d'une ligne unique pour conduire son parti, d'une seule solution à tous les problèmes. Peut-être même qu'un terroriste potentiel, voyant à la télévision le visage et le nom colorés du président Barack Hussein Obama, pourrait considérer qu'après tout les Américains ne sont pas des ennemis et ne sont peut-être pas si différents de son peuple. Peut-être un prénom. Peut-être une école. Peut-être la couleur de la peau.

Annexes

ANNEXE 1

Discours de Barack Obama à la convention démocrate de 2004

Au nom du grand État de l'Illinois, le carrefour d'une nation, la terre de Lincoln, permettez-moi d'exprimer ma profonde gratitude pour le privilège de m'adresser à cette convention. C'est un honneur particulier pour moi parce que, avouons-le, ma présence sur cette scène est assez improbable. Mon père était un étudiant étranger, né et élevé dans un petit village au Kenya. Il a grandi comme gardien de troupeaux de chèvres, est allé à l'école dans une case au toit de tôle. Son père, mon grand-père, était cuisinier, domestique.

Mais mon grand-père avait un rêve plus grand pour son fils. Grâce à un travail acharné et à sa persévérance, mon père a obtenu une bourse pour étudier dans un endroit magique : l'Amérique, qui était comme un phare de liberté et de possibilité pour ceux, si nombreux, qui étaient venus avant. Pendant ses études ici, mon père a rencontré ma mère. Elle est née dans une ville à l'autre bout du monde... dans le Kansas. Son père a travaillé sur les plates-formes pétrolières et dans des exploitations agricoles pendant la majeure partie de la Dépression. Le lendemain de Pearl Harbor, il a rejoint l'armée de Patton et sa marche à travers l'Europe. À la maison, ma grand-mère élevait leur enfant tout en allant travailler sur une ligne d'assemblage de bombardiers. Après la guerre, ils ont fait des études grâce à la loi pour les GI, acheté une maison grâce à l'aide fédérale au logement (Federal Housing Administration), et sont allés vers l'ouest au-devant des opportunités. Et ils avaient également de grands rêves pour leur fille.

Un rêve commun, né de deux continents. Mes parents ont vécu non seulement un improbable amour, mais aussi une foi inébranlable dans les possibilités de cette nation. Ils m'ont donné un nom africain, Barack, ou « béni », estimant que dans une Amérique tolérante le nom ne constitue pas un obstacle à la réussite. Ils me voyaient aller dans les meilleures écoles, même s'ils n'étaient pas riches, parce que dans une Amérique généreuse vous n'avez pas besoin d'être riche pour vous accomplir. Ils sont tous les deux décédés aujourd'hui. Pourtant, je sais que, ce soir, ils me regardent avec fierté.

Je suis ici aujourd'hui, rendant grâce à la diversité de mon patrimoine, conscient du fait que les rêves de mes parents continuent à vivre avec mes très précieuses filles. Je sais que mon histoire fait partie de l'histoire plus grande de l'Amérique, que j'ai une dette envers tous ceux qui sont venus avant moi, et que mon histoire n'aurait été possible nulle part ailleurs. Ce soir, nous nous réunissons pour rappeler la grandeur de notre nation, non pas à cause de la hauteur de ses gratte-ciel, de la puissance de son armée ou de son importance économique. Notre fierté est basée sur un postulat très simple, résumé dans une déclaration faite il y a plus de deux cents ans : « Nous tenons ces vérités pour évidentes, que tous les hommes sont nés égaux. Qu'ils sont dotés par leur Créateur de certains droits inaliénables. Que parmi ceux-ci il y a la vie, la liberté et la poursuite du bonheur. »

C'est là le véritable génie de l'Amérique, cette foi dans les rêves simples, l'importance des petits miracles. Que nous pouvons border nos enfants pour la nuit, qu'ils sont nourris et vêtus et les savons à l'abri du mal. Que nous pouvons dire et écrire ce que nous pensons, sans entendre soudain frapper à notre porte. Que nous pouvons avoir une idée et lancer une affaire sans avoir à payer de pots-de-vin. Que nous pouvons participer au processus politique sans crainte de représailles, et que notre voix va compter – au moins, la plupart du temps.

Cette année, dans cette élection, nous sommes appelés à réaffirmer nos valeurs et nos engagements, à les confronter à la réalité et à voir si nous sommes à la hauteur de l'héritage de nos aînés et de la promesse des générations futures. Compatriotes américains – démocrates, républicains, indépendants – je vous le dis ce soir : nous avons encore du travail à faire. Plus à faire pour les travailleurs que j'ai rencontrés à Galesburg, dans l'Illinois, qui perdent leurs emplois à l'usine de Maytag parce qu'elle est délocalisée au Mexique, et doivent maintenant entrer en concurrence avec leurs propres enfants pour des emplois rémunérés à sept dollars de l'heure. Plus à faire pour le père que j'ai rencontré qui était en train de perdre son travail et pouvait à peine retenir ses larmes, se demandant comment il pourrait payer 4 500 dollars par mois les médicaments dont son fils avait besoin sans l'assurance-maladie sur laquelle il ne pouvait plus compter. Plus à faire pour la jeune femme à East Saint Louis, et des milliers d'autres qui, comme elle, ont les qualités, les notes, la volonté, mais pas d'argent pour aller à l'université.

Ne me comprenez pas mal. Les gens que je rencontre dans les petites et les grandes villes, dans les petits restaurants et les bureaux, ne s'attendent pas à ce que le gouvernement puisse résoudre tous leurs problèmes. Ils savent qu'ils doivent travailler dur pour aller de l'avant et ils le veulent. Allez dans les régions industrielles autour de Chicago, les gens vous diront qu'ils ne veulent pas que leur argent soit gaspillé par la Sécurité sociale ou le Pentagone. Allez dans n'importe quel quartier de la ville, les gens vous diront que le gouvernement à lui seul ne peut enseigner à leurs enfants comment apprendre. Ils savent que les parents doivent être parents, que les enfants ne peuvent pas avancer sans apprendre à mettre la barre plus haut, éteindre le poste de télévision et faire taire la calomnie qui dit qu'un jeune noir avec un livre se comporte comme un Blanc.

Ils le savent.

Ils n'attendent pas du gouvernement qu'il résolve tous leurs problèmes. Mais ils sentent dans leur for intérieur qu'avec un simple changement de priorités nous pouvons nous assurer que chaque enfant américain ait une chance digne, et que les portes de l'opportunité restent ouvertes à tous. Ils savent que nous pouvons faire mieux. Et ils veulent faire ce choix.

Lors de cette élection, nous vous proposons ce choix. Notre parti a choisi un homme pour nous conduire qui incarne le mieux ce que le pays a à offrir. Cet homme est John Kerry. John Kerry comprend les idéaux de la communauté, la foi, le service, parce qu'ils ont défini sa vie. De son service héroïque au Vietnam à ses années comme procureur et lieutenant-gouverneur, à travers deux décennies au Sénat des États-Unis, il se consacre à ce pays. Encore et encore, nous l'avons vu prendre des décisions difficiles lorsque des choix plus faciles étaient possibles. Ses valeurs et son histoire révèlent ce qu'il y a de meilleur en nous.

John Kerry croit en une Amérique où l'ardeur au travail est récompensée. Donc, au lieu d'offrir des allègements fiscaux à des entreprises expédiant les emplois outre-mer, il va les offrir à des entreprises qui créent des emplois ici, chez nous. John Kerry croit en une Amérique où tous les Américains peuvent s'offrir la même assurance-maladie que nos hommes politiques à Washington.

John Kerry croit à l'indépendance énergétique, pour que nous ne soyons pas l'otage des profits des compagnies pétrolières ou du sabotage de champs pétroliers à l'étranger. John Kerry croit aux libertés constitutionnelles de notre pays que le monde entier nous envie, et il ne fera jamais le sacrifice de nos libertés fondamentales, ni n'utilisera la foi pour nous diviser. Et John Kerry estime que, dans un monde dangereux, la guerre doit être une option, mais ne devrait jamais être la première.

Il y a quelque temps, j'ai rencontré un jeune homme au nom de Seamus à une réunion de vétérans à East Moline, l'Illinois. C'était un beau gosse, grand, lucide, avec un large sourire. Il m'a dit qu'il avait rejoint les marines et allait en Irak la semaine suivante. En l'écoutant m'expliquer pourquoi il était entré dans l'armée, me parler de sa foi absolue dans notre pays et ses dirigeants, de son dévouement, j'ai pensé que ce jeune homme était tout ce que nous pourrions espérer chez un enfant. Mais ensuite je me suis dit : servons-nous Seamus aussi bien qu'il nous sert ? Je pensais aux plus de neuf cents hommes et femmes de l'armée, des fils et des filles, des maris et des épouses, des amis et des voisins, qui ne rentreraient pas dans leur ville natale. Je pensais aux familles que j'ai rencontrées qui avaient du mal à s'en sortir sans salaire supplémentaire ou dont les proches étaient revenus avec un membre en moins, les nerfs brisés, mais qui n'ont pas de couverture sociale à long terme parce qu'ils étaient réservistes. Quand nous envoyons nos jeunes hommes et femmes au-devant du danger, nous avons l'obligation solennelle de ne pas jouer avec les chiffres ni de masquer la vérité sur les raisons pour lesquelles ils vont en Irak, de prendre soin de leur famille alors qu'ils ne sont pas là, de nous occuper des soldats à leur retour, et de ne jamais partir en guerre sans troupes suffisantes pour gagner la guerre, d'assurer la paix et de gagner le respect du monde.

Maintenant, permettez-moi d'être clair. Nous avons de vrais ennemis dans le monde. Ces ennemis doivent être trouvés. Ils doivent être poursuivis et ils doivent être vaincus. John Kerry le sait. Et de même que le lieutenant Kerry n'a pas hésité à risquer sa vie pour protéger les hommes qui ont servi avec lui au Vietnam, le président Kerry n'hésitera pas un seul instant à utiliser notre puissance militaire pour garder l'Amérique en sécurité. John Kerry croit en l'Amérique. Et il sait qu'il ne suffit pas que seuls quelques-uns d'entre nous prospèrent. Car en plus de notre individualisme si connu, il y a un autre ingrédient dans la saga américaine : la conviction que nous sommes tous liés, tous un seul peuple.

S'il y a un enfant dans le sud de Chicago qui ne sait pas lire, cela m'importe, même si ce n'est pas mon enfant. S'il y a quelque part une personne âgée qui ne peut pas payer ses médicaments et doit choisir entre les médicaments et le loyer, cela rend ma vie plus pauvre, même si ce n'est pas ma grand-mère. S'il y a une famille arabo-américaine arrêtée, sans qu'elle bénéficie d'un avocat ou d'une procédure régulière, cela menace mes libertés civiles. C'est cette croyance fondamentale – que je suis le gardien de mon frère, que je suis le gardien de ma sœur – qui fait marcher ce pays. C'est ce qui nous permet de poursuivre nos rêves individuels, mais aussi de nous réunir pour former une seule famille américaine. *E pluribus unum.* De plusieurs, un seul. Pourtant, tandis que je vous parle, il y en a qui se préparent à nous diviser, les experts en mauvaise publicité qui embrassent la politique du tout est permis. Eh bien, je leur dis que, ce soir, il n'y a pas une Amérique libérale et une Amérique conservatrice – il y a les États-Unis d'Amérique. Il n'y a pas une Amérique noire et une Amérique blanche, latine et asiatique – il y a les États-Unis d'Amérique. Les experts aiment diviser notre pays en États rouges et États bleus ; rouges pour les États républicains, bleus pour les États démocrates. Mais j'ai des nouvelles pour eux aussi. Nous adorons aussi notre Dieu glorieux dans les

États bleus, et nous n'aimons pas les agents fédéraux autour de nos bibliothèques dans les États rouges. Nous entraînons nos enfants à faire du sport dans les États bleus et nous avons des amis homosexuels dans les États rouges. Il y a des patriotes qui sont opposés à la guerre en Irak et les patriotes qui l'ont soutenue. Nous sommes un seul peuple, chacun de nous prête serment sur la même bannière, et chacun d'entre nous défend les États-Unis d'Amérique.

En fin de compte, c'est de cela qu'il s'agit dans cette élection. Devons-nous participer à une politique du cynisme ou à une politique de l'espoir ? John Kerry nous invite à l'espérance. John Edwards nous invite à l'espérance.

Je ne parle pas ici d'optimisme aveugle, volontairement ignorant selon lequel que le chômage va disparaître en cessant simplement d'en parler, ou que la crise des soins de santé pourra se résoudre d'elle-même. Non, je parle de quelque chose de plus substantiel. C'est l'espoir des esclaves, assis autour d'un feu à chanter des chansons de liberté, l'espoir des immigrants partant pour de lointains rivages, l'espoir d'un jeune sous-lieutenant de marine patrouillant courageusement dans le delta du Mékong, l'espoir d'un fils d'ouvrier qui ose défier les probabilités. L'espoir d'un gosse maigre avec un drôle de nom qui croit que l'Amérique a une place pour lui aussi. L'espoir face à la difficulté. L'espoir face à l'incertitude. L'audace de l'espérance !

En fin de compte, c'est le plus grand don de Dieu, le fondement de cette nation, la croyance aux choses invisibles, la conviction qu'il y a des jours meilleurs à venir. Je crois que nous pouvons aider notre classe moyenne et donner des possibilités à des familles de travailleurs. Je crois que nous pouvons offrir des emplois aux chômeurs, des foyers aux sans-abri et récupérer des jeunes qui sombrent dans la violence et le désespoir dans les villes à travers l'Amérique. Je pense que tant que nous nous trouvons au carrefour de l'histoire, nous pouvons faire les bons choix, et relever les défis auxquels nous sommes confrontés.

Amérique ! Ce soir, si vous ressentez la même énergie que moi, la même urgence, la même passion, le même espoir – si nous faisons ce que nous devons faire, alors je ne doute pas que dans l'ensemble du pays, de la Floride à l'Oregon, de Washington au Maine, le peuple se soulèvera en novembre, John Kerry prêtera serment en tant que Président, et John Edwards en tant que vice-président, que ce pays va revivre sa promesse, et qu'à la sortie de cette longue phase d'obscurité politique un jour meilleur viendra. Merci et que Dieu vous bénisse.

ANNEXE 2

Obama et l'ambiguïté des élites [1]

Les démocrates Barak Obama et Hillary Clinton s'accordent pour faciliter l'obtention de prêts aux enfants de la classe moyenne.

En janvier 1961, à l'occasion de son discours d'adieu à la présidence, Eisenhower mit solennellement en garde ses compatriotes contre la collusion des militaires et de l'industrie de l'armement, susceptible de menacer les libertés politiques des Américains : « L'alliance entre un immense establishment militaire et une énorme industrie de l'armement est nouvelle dans l'histoire américaine [...]. Dans les instances gouvernementales, nous devons nous prémunir contre l'influence du complexe militaro-industriel. »

Depuis, l'expression de complexe militaro-industriel est devenue banale dans la bouche des journalistes, des universitaires, des hommes politiques, et prend généralement un sens polémique. Elle semble imposer une évidence : l'existence, aux États-Unis, dans le contexte de la guerre froide, d'une industrie de défense technologiquement avancée, politiquement influente, liée au Pentagone et bénéficiant de ses largesses financières pour développer des programmes d'armement lucratifs, fut d'une utilité parfois discutable.

Eisenhower parlait en expert de la question puisque, sous sa présidence, l'armée américaine s'était équipée de bombes à hydrogène, de sous-marins nucléaires, de missiles intercontinentaux et de bien d'autres matériels, fruits de la collaboration étroite des industriels et des militaires, mais aussi de scientifiques.

Il est nécessaire d'ajouter aux militaires et aux industriels les politiques, que, curieusement, Eisenhower ne mentionnait pas dans son discours.

L'élite des chimistes, physiciens, biologistes s'est mise au service des militaires. Cette chasse aux talents cristallisait incontestablement l'apogée du rêve méritocratique dans le pays. Dans les années soixante, la démocratisation de l'enseignement supérieur permit l'émergence d'une « nouvelle classe » de jeunes diplômés, selon la formule forgée alors par les sociologues. Progressivement, l'appartenance aux cercles de l'élite américaine passa par l'obtention de prestigieux diplômes. Rares furent ceux qui, à

1. Sur ce thème, voir *Les États-Unis*, Denis Laconne (sld), Fayard, 2006.

l'image du journaliste David Halberstam, dénoncèrent cette illusion et rappelèrent que les petits génies (*whizz kids*) envoyèrent, sous la houlette du ministre de la Défense, Robert McNamara, des milliers d'Américains mourir au Vietnam.

La guerre en cours symbolise parfaitement les ambiguïtés méritocratiques de cette chasse aux talents. C'est sur la base de tests de QI que les recrues sont sélectionnées : les candidats dont le résultat est inférieur à 70 ne peuvent prétendre à un sursis.

À plus d'un titre, les années soixante représentent un tournant dans le mécanisme de recrutement des élites aux États-Unis : un cycle de démocratisation du système s'achevait, une réflexion sur son caractère méritocratique commençait. Comme le souligne Michael Young, l'inventeur du terme « méritocratie », en 1958, toutes les sociétés occidentales se trouvèrent au XXe siècle confrontées à une tension croissante entre la nécessité de faire émerger une élite et l'obligation de développer une démocratisation de l'enseignement supérieur. La structuration de sociétés postindustrielles de classes moyennes modifia en profondeur les élites et le processus de sélection. Pour Obama ces mutations économiques et sociales opérèrent un glissement progressif vers l'élaboration d'un recrutement de plus en plus encadré.

En 1975, l'économiste John Kenneth Galbraith évoquait ses années d'études à l'université d'Harvard devant un parterre de jeunes étudiants. À l'automne 1935, il avait été nommé responsable de l'admission des étudiants dans un dortoir de l'université, la Winthrop House. L'administration centrale lui remit un tableau indiquant les différents types d'étudiants : trois colonnes étaient réservées aux étudiants issus des écoles préparatoires de la Nouvelle-Angleterre, les deux autres étaient attribuées aux étudiants ayant accompli une scolarité dans un lycée public et aux étudiants juifs. Lorsqu'on lui demanda de privilégier la première catégorie pour préserver l'homogénéité sociale du dortoir, il refusa. Quarante ans plus tard, l'évocation de ce douloureux souvenir personnel démontre à quel point l'université s'est démocratisée. Selon ses termes, elle est passée d'un recrutement aristocratique « un rien ridicule » à un recrutement méritocratique. Obama prétend symboliser cette méritocratie.

Pourtant la chasse aux talents américaine n'échappe pas aux difficultés que suscite cette tension méritocratique. Si les efforts de démocratisation ont permis de diversifier le recrutement des élites depuis le début du XXe siècle, ils ont provoqué de fortes frictions concernant sa légitimité et sa capacité à garantir l'égalité des chances pour tous.

Pendant des décennies les universités américaines furent réservées à une élite sociale. En dépit de timides projets de réforme, elles n'avaient pas pour objectif de créer une nouvelle élite mais jouaient un rôle traditionnel de formation et de socialisation des élites existantes. Très critique à l'égard de l'oisiveté de la classe dirigeante américaine, le sociologue Thorstein Veblen envisagea alors l'enseignement supérieur comme un « lieu de dépravation : comment définir autrement le dilettantisme de ces enfants de bonne famille qui s'installent dans leurs appartements privés du quartier Gold Coast à proximité de l'université Harvard ? »

Les meilleures universités, Harvard, Yale et Princeton en tête, avaient un recrutement social volontairement homogène : blanc, masculin, protestant, tel est alors le profil type de l'étudiant. Bref tout le contraire du profil d'Obama. Délibérément, elles se percevaient comme des bastions de l'élite anglo-saxonne. Avant d'entrer dans ces universités, les étudiants étaient souvent passés par des écoles préparatoires, dont les plus prestigieuses se trouvaient dans le nord-est du pays, notamment en Nouvelle-Angleterre. Les plus recherchées étant les cinq écoles épiscopaliennes.

Le rôle de ces écoles s'accrut au XXe siècle car les élites bostoniennes souhaitaient protéger leur progéniture de la montée des périls urbains. Aux enfants de bonnes familles de l'élite de Nouvelle-Angleterre s'ajoutaient les fils de notables des villes du Midwest et de l'Ouest. Nombre d'entre eux rejoignirent alors les universités les plus prestigieuses après l'examen de leurs dossiers par les conseils des facultés. À Harvard, dans la première moitié du XXe siècle, chaque section se composait d'anciens d'écoles préparatoires. La sociabilité de la vie étudiante (fraternités, groupes de lecture, clubs de sport, clubs de musique) tissait des liens entre les représentants de cette élite anglo-saxonne. À la fin du cursus universitaire, l'entrée dans la vie professionnelle s'appuyait incontestablement sur le capital social familial et sur le réseau universitaire. Dans les années trente, à Washington, l'administration fédérale, qui mit en œuvre le New Deal, se composait pour l'essentiel d'anciens de Groton : les enfants des familles Acheson, Alsop, Bundy, Harriman, Morgan, Roosevelt et Whitney, qui dirigeaient les intérêts de la nation américaine.

Ces cercles universitaires demeuraient inaccessibles pour les minorités ethniques et religieuses du même profil qu'Obama aujourd'hui. La stratégie de clôture du pré carré des élites fut bien réfléchie. Ainsi dans l'entre-deux-guerres, la haute administration de Harvard mena une virulente campagne en faveur de l'adoption de quotas au niveau national, afin de limiter l'immigration dans le pays et donna l'exemple en instaurant un système de quotas à l'université.

Chose inimaginable aujourd'hui, en 1925, Harvard limitait à 15 % le nombre d'étudiants juifs, dont le taux d'admission en première année passait de 22 % en 1920 à 10 % en 1930. Puis la direction de l'université envisagea d'étendre ce système des quotas aux Asiatiques, aux hommes de couleur, et peut-être... aux Canadiens francophones, s'ils ne parlaient pas anglais et se tenaient à l'écart.

Dans le cas des Afro-Américains – ce qui nous intéresse ici particulièrement –, la limitation était identique : Princeton les excluait de façon systématique, Yale et Harvard en acceptaient quelques-uns chaque année. Les étudiants catholiques connaissaient également des difficultés et préféraient rejoindre des universités catholiques.

Alors qu'il se développait et se perfectionnait, ce système élitiste fut de plus en plus remis en cause. Au cours du XXe siècle, les américains prirent conscience du lien ténu entre la croissance de l'enseignement supérieur et la vitalité de la démocratie. Une forte démocratisation de l'enseignement secondaire s'opéra : en 1910, seulement 9 % de la population sortaient du lycée avec un diplôme; en 1935, le taux atteignait 40 %.

Pour Obama, il faut réfléchir sur les exemples historiques, notamment sur la crise de 1929. Une crise pareille est-elle possible aujourd'hui?

Cette « course vers le désastre » s'acheva le 24 octobre 1929. Ce matin-là, l'Amérique « craqua ». Tout l'édifice de la prospérité bascula dans le néant. Ce fut un effondrement d'une ampleur sans précédent. Sans transition, une génération entière passa de l'opulence à la misère, du bonheur au désespoir : « On tournait le calendrier à juin, et l'on trouvait décembre au feuillet suivant. » Tous ceux qui avaient été nourris dans le culte de la réussite forcenée et de l'individualisme découvraient la faillite du rêve américain. Devant les usines fermées, douze millions de chômeurs battaient le pavé.

Une nouvelle génération se forma, prudente et réservée, qui ne ressemblait en rien à celle de l'« âge d'or » des dangereux gaspilleurs et des impardonnables écervelés : « Elle s'avance dans la vie très boutonnée, le menton haut et la bouche close, écrivait alors la revue *Fortune*. C'est une génération méfiante, effacée, sans goût pour l'aventure, peu encline au risque... »

Cette génération échaudée ne croyait plus à la magie du succès de New York. Elle avait inventé un nouveau mot d'ordre : solidarité. Pour éviter de nouvelles catastrophes comme celle de 1929, ces jeunes se serraient les coudes, créaient des fermes collectives, travaillaient ensemble, économisaient au lieu de dilapider, condamnaient le luxe inutile. Leurs préoccupations étaient exclusivement sociales et morales. Pour maîtres ils se donnaient des militants ouvriers et des écrivains socialisants dont beaucoup adhéraient au marxisme. On croyait à l'esprit des masses, on ne s'intéressait plus à celui de l'individu. La beauté formelle d'une œuvre ne comptait plus, seul importait son impact révolutionnaire sur la foule des opprimés, des sans-logis, des sans-travail.

Dans les années trente, pour sortir de la crise, le contrat social proposé par Roosevelt prévoyait le renouvellement et la diversification des élites du pays.

Cette approche fut difficile à mettre en pratique. À l'inverse, une autre méthode fut envisagée : utiliser des tests pour trouver de façon objective les plus talentueux. À l'origine, les tests mesurant l'intelligence furent mis au point pour repérer les individus présentant des déficiences intellectuelles, notamment parmi la population immigrante des Afro-Américains et les nouveaux immigrés en provenance d'Europe de l'Est et du Sud. Pour préserver cette intelligence, il mit au point un test. Afin d'en mesurer la validité, il le proposa au conseil universitaire régissant l'entrée dans les universités de Nouvelle-Angleterre. Cet instrument scientifique de l'intelligence suscita l'intérêt de l'administration de Harvard. La crise de 1929 l'avait convaincue du renforcement des inégalités. L'Amérique devait retrouver son dynamisme originel.

Pour de nombreux intellectuels américains, dans l'entre-deux-guerres, ce fut l'inquiétude suscitée par le basculement des masses européennes vers le totalitarisme qui fit émerger cette volonté de réforme.

Succès éditorial pendant la Seconde Guerre mondiale, l'ouvrage de James Burnham *The Machiavellians* réclamait la formation d'une élite d'experts, de « machiavéliens » capables d'analyser avec objectivité et détachement les questions économiques et sociales. Grâce à ce procédé novateur, il devenait possible de repérer le potentiel de lycéens en formation. Mais une expérience fut tentée dans le Midwest dès janvier 1934. Harvard passa un accord avec des lycées locaux, promettant de payer leurs frais de scolarité aux candidats qui obtiendraient le meilleur résultat. Le futur Prix Nobel d'économie James Tobin fut ainsi sélectionné en 1938. L'année suivante, ce système de recrutement fut étendu à l'ensemble des universités de Nouvelle-Angleterre. Si la Seconde Guerre mondiale mit entre parenthèses le développement d'un tel projet méritocratique, l'expérience conduite à Harvard annonçait les réformes à venir.

Dans les années cinquante, la société américaine composée majoritairement de classes moyennes, vit les universités devenir le centre névralgique du recrutement des élites. Pilier du système américain, les grandes entreprises donnèrent l'exemple en consacrant la légitimité des managers, formés dans les écoles de commerce *(business schools)*. Au lendemain de la guerre, le développement de l'enseignement devint l'une des grandes priorités nationales. En raison du caractère décentralisé du système éducatif, le gouvernement fédéral donna principalement une impulsion à cette phase de démocratisation. Dès la fin de la guerre, le GI Bill avait ouvert les portes de l'enseignement supérieur à plus de deux millions d'anciens combattants sur les quatorze millions qui avaient été mobilisés. En 1958, au lendemain du choc causé par l'envoi du satellite Spoutnik dans l'espace, le vote du *National Defense Education Act* marqua une autre étape importante : la loi accordait des bourses de quatre années pour les étudiants et des crédits d'équipement pour les universités. Corollaire de cette volonté d'ouverture sociale, la fin de la ségrégation accéléra l'élimination des inégalités structurelles du système : l'arrêt de la Cour suprême de 1954 rendit possible une intégration des Afro-Américains. Le phénomène Obama n'aurait jamais surgi sans cette politique volontaire.

Dans la mesure où le système américain se distinguait par l'absence de fortes sélections au niveau de l'enseignement secondaire, les étudiants virent leur nombre croître fortement. Grâce aux subsides du gouvernement fédéral, d'entreprises privées et de fondations philanthropiques, ils quintuplèrent trente ans plus tard. Cette massification de l'enseignement supérieur supposait une harmonisation du processus de recrutement. Rapidement, toutes les universités les plus prestigieuses – Harvard la première – l'adoptèrent.

Les entreprises procédèrent à des tests pour recruter leurs futurs employés ; l'armée les adopta également, en fixant le principe d'un sursis pour les citoyens obtenant les meilleurs scores aux tests. Avec son humour légendaire, le célèbre commentateur de CBS, Edward Murrow, rappelait alors que les frères Wright, Mark Twain, Andrew Carnegie, Henry Ford et Thomas Edison seraient partis au combat !

Cette réaction d'incompréhension traduisait la prise de conscience d'une évolution du statut des élites et de leur mode de sélection : le mérite était désormais couronné par l'obtention de prestigieux diplômes.

Cette phase d'harmonisation fut complétée par une aide au paiement des frais de la scolarité. Effacer les barrières financières constituait l'autre enjeu fondamental de la démocratisation du recrutement. Peu à peu, un vaste système de bourses se mit en place dans l'ensemble du pays à tous les échelons du système éducatif. Dans les années soixante, le Dartmouth College et la fondation Rockefeller créèrent le programme dont l'objectif était de « sélectionner pour les écoles préparatoires les enfants les plus talentueux issus de centres-villes urbains. » Le président de Harvard se flattait désormais de compter dans ses rangs « tous les segments de la société américaine ».

Sous la houlette du gouverneur républicain Nelson Rockefeller, l'État de New York connut à la même période une démocratisation et une massification de ses institutions d'enseignement supérieur. Progressivement, cette politique finit par élargir la représentation sociale des étudiants. Une étude longitudinale conduite par des sociologues sur l'ensemble du XXe siècle a démontré que la moitié des enfants issus de parents ouvriers et dont les résultats aux tests étaient bons achevaient leurs études supérieures dans les années cinquante. De même, les universités s'ouvrirent de plus en plus aux étudiants des différentes minorités. Le nombre d'étudiants catholiques et juifs doubla à Princeton et augmenta dans toutes les autres universités prestigieuses. À Harvard, le pourcentage d'étudiants noirs passa de 2 % en 1960 à 7 % en 1969.

Cette politique s'étendit également aux Amérindiens et aux Américains d'origine mexicaine.

Au milieu des années soixante, le processus de recrutement connut un infléchissement majeur avec la mise en place des politiques d'*affirmative action*. Pensé en termes universels jusqu'alors, le recrutement se concevait désormais en termes de compensation. L'administration du président démocrate Lyndon Johnson fut à l'origine de cette évolution : le vote de la loi *Elementary and Secondarv Education Act*, le 9 avril 1965, posa les bases intellectuelles de cette politique d'éducation compensatrice. La même année, l'adoption de programmes de discrimination positive dans le monde de l'emploi conduisit nombre d'universités à faire de même pour recruter leurs étudiants. À l'image des mesures adoptées à l'université de Berkeley, en Californie, les universités mirent en œuvre un système duel : d'un côté, une procédure méritocratique fondée sur les résultats aux tests; de l'autre, une procédure de discrimination positive.

Cependant, le consensus politique prédominait encore autour de cette nécessité d'élargir le recrutement. Le meilleur témoignage de cette évolution tenait en ce que les théoriciens de l'élite du pouvoir condamnaient certes le poids des élites mais reconnaissaient leur forte diversification depuis les années soixante, même s'ils déploraient l'intégration par les nouveaux arrivants des valeurs et des codes culturels des vieilles élites anglo-saxonnes (pratique du golf, consommation de cigares...).

Au cours des années soixante-dix, le consensus national autour du mode de recrutement des élites s'effrita. L'inflation du nombre des étudiants brouilla quelque peu les finalités de l'enseignement supérieur. En d'autres termes, la massification de l'enseignement supérieur a entraîné une explosion du nombre d'institutions universitaires : dans les années quatre-vingt, on en comptait plus de quatre mille sur l'ensemble du territoire. Cette croissance a introduit une situation de plus en plus concurrentielle et a compliqué l'accès aux meilleures universités, créant ainsi un malaise au sein de la société. En effet, les classes moyennes rechignèrent de plus en plus à soutenir un projet susceptible de pénaliser leurs propres enfants par le biais des programmes d'*affirmative action*. La Californie donna l'exemple : en 1978, la majorité obtenue en faveur de la Proposition 13 traduisit une volonté de mettre un terme à l'interventionnisme politique. Étendue peu à peu à l'ensemble du pays, cette restriction budgétaire contraignit les États à limiter la manne financière attribuée à l'éducation. Au départ, l'enseignement secondaire a profondément souffert de cette raréfaction, notamment les lycées des centres-villes; puis ce fut le tour des universités. L'écart se creusa inexorablement entre les universités publiques et privées en raison de la croissance des frais d'équipement, notamment dans le domaine informatique. Ce repli financier fut accompagné d'une remise en cause du mode de sélection. Le système de tests fut de plus en plus critiqué comme favorisant la reproduction sociale.

Une multitude de moyens méthodologiques et linguistiques défavorisaient ceux qui l'étaient déjà. La création d'un marché de la préparation aux tests, notamment les manuels de préparation Kaplan, a ravivé les clivages sociaux que le système voulait éliminer. Si des améliorations furent apportées et si de nouveaux tests apparurent, la validité du SAT [1] et de ses dérivés ne fit plus l'unanimité. D'autant que cette sélection a ouvert la voie à des débats récurrents sur le caractère héréditaire de l'intelligence.

Au lieu de favoriser l'émergence d'une méritocratie, le système élaboré après guerre a paradoxalement renforcé le poids des élites dans la société américaine. Des travaux sociologiques, journalistiques et politiques, dénoncèrent l'apparition d'une oligarchie, d'une *overclass*, terme créé par opposition au concept sociologique d'*underclass*, et constatèrent d'un creusement des inégalités dans l'Amérique des années quatre-vingt et quatre-vingt-dix. Tous les indicateurs sociaux relèvent un renforcement de la reproduction sociale. D'après les données contenues dans le *Social Register*, le bottin mondain contenant la liste des familles de l'élite américaine, 92 % des familles présentes en 1940 l'étaient toujours en 1977.

En dépit des velléités réformistes d'après-guerre, les écoles préparatoires demeurèrent aussi élitistes : seulement 4 % des étudiants y accédant étaient issus de la communauté afro-américaine, alors qu'ils représentaient 19 % des lycéens.

L'université américaine ne jouait plus son rôle d'ascenseur social et renforçait le capital culturel et social des élites. Selon certains, cette fonction possédait un fondement institutionnel : la préférence familiale (la discrimination positive dont bénéficient les membres de l'*overclass* et que Michael Lind qualifie de « secret le mieux caché de l'Amérique ».

L'accès aux grandes universités servait de plus en plus à valider un positionnement dans la hiérarchie sociale. Cette pratique de la préférence familiale se prolongea dans le monde du travail.

Cette banalisation du népotisme cristallise parfaitement le paradoxe de l'Amérique fin de siècle : s'il n'a jamais été aussi démocratique, le processus de recrutement favorise de plus en plus les élites en place.

Lors de la rentrée universitaire de Yale, le président George Bush a fait l'éloge des étudiants d'un niveau moyen, estimant qu'ils pouvaient tout à fait devenir présidents des États-Unis. C'est sans doute oublier un peu vite le rôle du capital social et économique qui a conduit le cadet des fils Bush à succéder à son père, avec quelques années d'écart, à la Maison-Blanche. Se contenter cependant d'insister sur le resserrement de chasse aux talents serait réducteur.

---

1. *Scholastic Assessment Test*, un test standardisé pour les admissions dans les universités américaines (N.d.E.).

Au lendemain de la Seconde Guerre mondiale, le pays a connu une fluidité sociale importante permettant un renouvellement en profondeur des élites. Dans les années quatre-vingt-dix encore, l'université Yale a envoyé un pur produit de la méritocratie américaine, Bill Clinton, à la Maison-Blanche.

Au début du XXIe siècle, comme de nombreux pays occidentaux, les États-Unis ont été confrontés à une crise de croissance du processus de sélection liée aux conditions mêmes de la démocratisation.

La « nouvelle classe » de diplômés a mis en place de fortes stratégies de reproduction sociale pour garantir à ses enfants l'accès aux meilleures universités et aux postes les plus prestigieux. La restructuration du marché de l'éducation et de la préparation aux études a facilité l'entreprise. Le désengagement des pouvoirs publics l'a achevée. C'est le paradoxe que prophétisait Michael Young : la méritocratie a fini par fermer la chasse aux talents.

Toutefois, dans l'Amérique contemporaine, celle d'Obama, le recrutement des élites fait l'objet d'un consensus politique.

En 1994, Bill Clinton évoqua l'idée d'un *bill of rights* pour les classes moyennes, avec comme mesure phare des réductions d'impôts destinées à compenser les dépenses d'enseignement supérieur. Pour faire sauter les verrous de l'ascenseur social américain, c'est plutôt un *bill of rights* de l'éducation qui serait nécessaire afin de garantir une véritable démocratisation du système, préalable indispensable à une méritocratie dont les principes sont acceptés et défendus par tous.

Et Obama se place volontiers dans cette tradition.

Annexe 3

Le Chicago d'Obama

« L'église du Christ de la Trinité Unie vibre de couleurs, de chants, de danses, de pleurs, de cris et parfois de transes. On a du mal à imaginer Barack Obama, l'élégant et un peu raide candidat à la Maison-Blanche, dans cette frénésie. C'est pourtant sa paroisse. Il l'a choisie, au milieu des années quatre-vingt, lorsqu'il travaillait auprès des communautés noires de ce quartier, dans le sud de Chicago. Ses raisons étaient identitaires et, déjà, politiques.

Les cent cinquante chanteurs de la chorale portent des tuniques africaines. Les vitraux représentent un Christ noir à côté des lettres NAACP, sigle de l'Association pour la promotion des personnes de couleur. Le pasteur, Wright, prêche la « théologie de la libération noire » et les « origines africaines du christianisme ».

Lorsqu'il l'a choisi comme mentor, il y a plus de vingt ans, Obama avait aussi un objectif concret : l'enrôler dans le réseau d'églises servant de socle aux luttes sociales qu'il organisait [1]. »

Si ces derniers dimanches – campagne oblige –, le candidat n est pas venu à la messe, il est néanmoins assuré de rafler 100 % des voix dans l'église du révérend Wright.

Quand le pasteur lit un message adressé par le candidat à l'une de ses supportrices, Emily Marsh, pour son quatre-vingt-quinzième anniversaire, les deux mille cinq cents fidèles saluent « le Président qui nous est bientôt promis » dans une effusion d'Amen ! et d'Alléluia !

Prêchant avec fureur, le pasteur Otis Moss s'égosille contre « ces Noirs qui devraient être de notre côté » mais qui préfèrent Clinton. Il vise en particulier Bob Johnson, le fondateur de *Black Entertainment TV*, auteur d'insinuations malveillantes contre Obama.

Pour un candidat métis que certains Afro-Américains jugeaient « trop blanc », l'expérience de Trinity Church vaut le détour : elle permet de mesurer la complexité de l'homme qui pourrait devenir le quarante-quatrième président des États-Unis. « Barack est un garçon exceptionnel, s'attendrit Emily Marsh. Il sera notre prochain Président »...

---

1. *Le Figaro*, 6 février 2008.

Annexe 4

Le New York d'Obama

Harlem. Ce ghetto s'embourgeoise. Le quartier, à l'origine construit pour les Blancs, a été pendant longtemps synonyme de misère et d'exclusion pour les Noirs. Les terribles émeutes raciales qui l'ont régulièrement secoué ont servi de thème d'inspiration à des artistes improvisés. Ses tags sont très prisés des touristes. Les immeubles de brique ou de pierre brune avec corniches et encorbellements sont en cours de rénovation, même s'il reste ici et là des coins « sauvages ». Contrairement à Alexandre le Grand, Franco Calvano, *The Great*, a assis son succès par la non-violence. Son trophée : le cœur de Harlem, où, dès la nuit tombée, sévit cet Hispano-Afro-Américain. Armé de ses bombes de peinture acrylique, il transforme, anime, colorie la grisaille des lourds rideaux de fer qui protègent les échoppes. Ses couleurs chatoyantes s'entremêlent avec frénésie (voir les illustrations). Des portraits, des danseurs, des lumières jaillissent. Toujours une idée nouvelle pour thème unique : les Noirs dans tous leurs états. Des personnages qu'Obama aime infiniment, de Martin Luther King à Nelson Mandela, de Rosa Parks à Malcolm X. Ainsi que tous les anonymes. Sa devise : « Tu ouvres toutes les portes quand tu restes positif. »

À travers son art éclatant, il offre au touriste du dimanche un autre visage de La Mecque noire du Nouveau Monde. Il en efface les cicatrices et libère les cœurs, longtemps enserrés dans une gangue de souffrance. « Fini le ghetto. »

Un panneau devant durer en moyenne trois à cinq ans, la maintenance est cruciale. Le travail ne tient pas compte des horaires. Surtout lorsqu'il s'agit de l'installation d'une pièce colossale, ce qui prend en moyenne trois mois, car cela ne peut se faire que la nuit ou les week-ends pour ne pas gêner la circulation. Cette année, le tas de nouilles fumantes (la *Noodle Cup*) doit être enlevée. Ce sera le seul espace vacant jusqu'en 2012 !

On comprend pourquoi Coca-Cola a voulu capter Calvano en action dans une animation graphique à son effigie : il enlève les feuilles mortes ou nettoie la neige, suivant les saisons, sur une canette de Coca de plus de

30 tonnes, animée par 2,7 millions de diodes et qui a coûté plus de 6,5 millions de dollars !

Dans la vraie vie, également, ce personnage haut en couleur est incapable de s'arrêter. À soixante-deux ans, la retraite pour lui est inimaginable, branché qu'il est sur la haute tension de « son » Times Square. C'est peut-être ce qu'il y a de plus new-yorkais dans Calvano : cette énergie, ce besoin de vivre, ce besoin d'action. Mais mieux vaut taire devant lui le nouveau concept émergent : la « seconde renaissance » de Harlem. Là, le pacifiste s'insurge : « Pour qui ? Pour les spéculateurs ! Où vont aller les familles décimées depuis des lustres par la misère ? Dans le Bronx ! Les puissants déplacent les problèmes pour libérer le plus beau quartier du nord de Manhattan. »

Il est vrai que ces *brownstones* cossues, fin XIXe rivalisent avec celles du Village et de Soho, au sud. L'insalubrité disparaît et elles font envie, ces petites maisons de pierre, massives et colorées, alignées dans des allées ombragées. Surtout aux yuppies de Downtown qui se les arrachent à prix d'or. Franco ne reconnaît plus son quartier où s'installent les chaînes de vêtements internationales.

Table des matières

III

Les facteurs de succès

Collection « Le roman des lieux et destins magiques »

Déjà parus

Le Roman de la Russie insolite, Vladimir Fédorovski.
Le Roman de Saint-Pétersbourg, Vladimir Fédorovski, prix de l'Europe.
Le Roman du Kremlin, Vladimir Fédorovski, prix du Meilleur Document de l'année, prix Louis-Pauwels.
Le Roman d'Athènes, Marie-Thérèse Vernet-Straggiotti.
Le Roman de Constantinople, Gilles Martin-Chauffier, prix Renaudot essai.
Le Roman de Shanghai, Bernard Debré, prix de l'Académie des sciences morales et politiques.
Le Roman de Berlin, Daniel Vernet.
Le Roman d'Odessa, Michel Gurfinkiel.
Le Roman de Séville, Michèle Kahn, prix Benveniste.
Le Roman de Vienne, Jean des Cars.
La Fabuleuse Histoire de l'icône, Tania Velmans.
Dieu est-il gascon ?, Christian Millau.
Le Roman de la Saxe, Patricia Bouchenot-Déchin.
La Fabuleuse Histoire de Malte, Didier Destremau.
Le Roman de Hollywood, Jacqueline Monsigny et Edward Meeks.
Le Roman de Chambord, Xavier Patier, prix du Patrimoine.
Le Roman de l'Orient-Express, Vladimir Fédorovski, prix André-Castelot.
Le Roman de Budapest, Christian Combaz.
Je serai la princesse du château, Janine Boissard.
Mes chemins secrets, Jacques Pradel.
Le Roman de Prague, Hervé Bentégeat.
Le Roman de l'Élysée, François d'Orcival.
Le Roman de Tolède, Bernard Brigouleix et Michèle Gayral.
Le Roman de l'Italie insolite, Jacques de Saint-Victor.
Le Roman du Festival de Cannes, Jacqueline Monsigny et Edward Meeks.
Le Roman des amours d'Elvis, Patrick Mahé.
Le Roman de la Bourgogne, François Cérésa.
Le Roman de Rio, Axel Gyldén.
Le Roman de la Pologne, Beata de Robien.
Les Fabuleuses Histoires des trains mythiques, Jean-Paul Caracalla.
Les Romans de Venise, Gonzague Saint Bris.
Le Mystère des Tuileries, Bernard Spindler.
Le Roman de l'Élysée, François d'Orcival.
Le Roman de la Victoire, Bertrand de Saint-Vincent.
Le Roman du Québec, Daniel Vernet.

Le Roman d'Israël, Michel Gurfinkiel.
Le Roman de Bruxelles, José-Alain Fralon.
Le Roman de Mai 68, Jean-Luc Hees.
Le Roman de Pékin, Bernard Brizay.

Collection « Un nouveau regard »

La Roumanie insolite, Alex Decotte.
Le Fantôme de Staline, Vladimir Fédorovski.
Mes chemins secrets, Jacques Pradel.
Vladimir Fédorovski : secrets et confidences, Isabelle Saint Bris.
Saint-Exupéry, l'ultime secret, Jacques Pradel, Luc Vanrell.
Mafias, Jacques de Saint Victor.
Parfaits espions, Luc Rosenzweig et Yacine Le Forestier.
Corridas, Marine de Tilly.

Collection « Document »

Les Tsarines, les femmes qui ont fait la Russie, Vladimir Fédorovski.
Les Histoires secrètes du Tour de France, Henri Sannier et Emmanuel Galiero.
L'Âge d'or de la radio, Zappy Max.

Cet ouvrage a été composé et imprimé par la
SOCIÉTÉ NOUVELLE FIRMIN-DIDOT
Mesnil-sur-l'Estrée
pour le compte des Éditions du Rocher
en septembre 2008

Éditions du Rocher
28, rue Comte-Félix-Gastaldi
Monaco

Imprimé en France
Dépôt légal : avril 2008
N° d'impression : 92055